# AULA 2

*Autores:* Jaime Corpas, Agustín Garmendia, Carmen Soriano
*Coordinación pedagógica:* Neus Sans
*Coordinación editorial:* Eduard Sancho
*Redacción:* Eduard Sancho, Roberto Castón
*Corrección:* Montse Belver

*Diseño:* CIFR4
*Ilustraciones:* Roger Zanni
*Fotografías:* Frank Kalero *excepto:* Unidad 1 pág. 12 Manuel Tienda (Paul), pág.16 Miguel Ángel Chazo (Alejandro Amenábar, La Oreja de Van Gogh), Europa Press (Pablo Picasso) / Unidad 2 pág. 18 Tim Wood, Enrique Menossi, pág., 24 Carmen Soriano / Unidad 3 pág. 32 Montse Belver (05) / Unidad 4 pág. 33 Marc Javierre / Unidad 5 pág. 43 Victoria Aragonés (Venezuela), Mireia Boadella (Nueva York), Jaime Corpas (Argentina), pág. 47 Miguel Raurich / Unidad 6 pág. 49 Marc Javierre / Unidad 7 pág. 58 Europa Press, pág. 59 Miguel Ángel Chazo, pág. 63 Europa Press / Unidad 8 pág. 66 Centro Kursaal (Kursaal), restaurante Arzak (Arzak), Agustín Garmendia (Museo Chillida, Bar Martínez) / Unidad 9 pág. 74 Miguel Ángel Chazo (Javier Bardem), pág. 80 Europa Press / Unidad 10 pág. 86 Europa Press (Joaquín Cortés), Miguel Ángel Chazo (Penélope Cruz), pág. 88 Miguel Raurich (Cabo de Gata, Picos de Europa, La Albufera, Sierra Nevada, islas Cíes), Jordi Longàs (Garajonay)

*Agradecimientos:* Natalia Elies (*Habitania*), Anna Fors (Filmoteca de la Generalitat de Catalunya), Centro Kursaal

© Los autores y Difusión, S.L. Barcelona 2003
ISBN: 978-84-8443-125-1
Depósito legal: B-7.961-2007
Impreso en España por Novoprint

Reimpresión: marzo 2008

**difusión**
Centro de
Investigación y
Publicaciones
de Idiomas, S. L.

c/ Trafalgar, 10, entlo. 1ª
08010 Barcelona
tel. 93 268 03 00
fax 93 310 33 40
editorial@difusion.com
**www.difusion.com**

# AULA
# 2

**Jaime Corpas**
**Agustín Garmendia**
**Carmen Soriano**

*Coordinación pedagógica*
**Neus Sans**

El proyecto **AULA** nace de la constatación de que no existe ningún material de español como lengua extranjera que responda adecuadamente a las necesidades específicas de ciertos contextos de enseñanza. Nos referimos, en concreto, a los cursos intensivos o semiintensivos en situación de inmersión.

Hasta ahora, se ha venido presuponiendo que un curso intensivo no era esencialmente distinto de un extensivo sino, simplemente, "un curso con más horas" o con un horario más "concentrado". Así pues, se ha pretendido, por ejemplo, que los mismos materiales fueran válidos tanto para tres horas de clase semanales, impartidas a lo largo de un año escolar, como para trabajar cuatro o cinco horas diarias con alumnos que mantienen un contacto diario con la realidad española. Sin embargo, cualquier docente que conozca ambas realidades sabe que plantean necesidades muy distintas, tanto respecto a la programación de contenidos y de actividades, como a las expectativas de los alumnos.

El resultado de esta falta de materiales específicos en el ámbito de la enseñanza de E/LE en España (en centros privados, en Universidades, etc.), ha sido hasta ahora el que todos conocemos: cada centro o equipo de profesores ha ido sorteando las dificultades que plantea la carencia de un buen manual con materiales propios o con material fotocopiado. Ninguna de las soluciones contenta a alumnos ni a profesores, quienes, cuando se les pregunta, declaran abiertamente que prefieren la coherencia y seguridad que un manual bien diseñado confiere a un curso.

De esta situación surge la idea de publicar **AULA**. Un equipo de autores, con amplia experiencia en cursos intensivos y semiintensivos y en el diseño de materiales didácticos, asesorados por numerosos colegas de diversos centros que les han ayudado a tener una visión de conjunto de las características y de las necesidades de los cursos de E/LE en España, han abordado la elaboración de **AULA** con el objetivo de dar respuesta a las exigencias de este sector, en particular atendiendo a los siguientes aspectos:

### Desde el punto de vista de la organización del material

- En muchos casos, el calendario de inicio de los cursos permite la incorporación de nuevos alumnos cuando ya se han realizado algunas sesiones y, por otra parte, no todos los alumnos permanecen el mismo número de semanas.

- La duración de los cursos no justifica para muchos alumnos la compra de un manual que no van a poder utilizar en su totalidad.

- En la mayoría de manuales las unidades didácticas son excesivamente largas y no permiten a los alumnos, en su breve estancia, abordar un contenido variado, tanto desde el punto de vista lingüístico, como del temático y del cultural.

- El material debe estar estructurado de tal manera que facilite la labor de coordinación de los diferentes profesores a cargo de un mismo curso.

### Respecto a la programación

Como en cualquier contexto de aprendizaje, en los cursos intensivos la presentación y la ejercitación de nuevos contenidos debe adecuarse al ritmo de aprendizaje y a las expectativas de los alumnos. En concreto, en este tipo de cursos, la progresión debe estar muy medida por razones obvias: la capacidad de procesar información y de construir conocimiento lingüístico de un individuo en dos, tres o cuatro semanas es forzosamente limitada. El material debe, por tanto, articularse para guardar un cuidado equilibrio entre, por una parte, una gran variedad de propuestas y, por otra, muchas ocasiones para retomar y para afianzar el manejo de aspectos lingüísticos ya abordados en unidades o en niveles anteriores.

### Respecto a las características metodológicas del material

- En los cursos intensivos, más que en cualquier otro tipo de cursos, se precisa un trabajo especialmente compensado entre la práctica de destrezas comunicativas y la reflexión gramatical. Un alumnado en situación de inmersión, que evalúa diariamente sus progresos en un entorno hispanohablante, aspira a obtener resultados tangibles e inmediatos en ambos frentes.

- Una carga horaria intensiva reclama, además, un material que tenga muy en cuenta el inevitable "estrés" que viven profesores y alumnos en este tipo de cursos: las actividades deben ser muy variadas tanto en sus contenidos como en las dinámicas de aula que propician. Las destrezas implicadas en cada actividad y los procesos cognitivos que impulsan deben estar hábilmente combinados para que cada día de trabajo resulte un todo coherente y equilibrado: debe haber momentos para lo lúdico y tiempo para la reflexión, actividades en grupos y tareas individuales, atención a aspectos formales e interacción significativa entre los miembros del grupo, tiempo para el estudio y para la práctica de la lengua, y materiales para el descubrimiento de la cultura.

# Cómo es AULA

**AULA** se ha concebido como un material perfectamente ajustado a la estructura horaria de los cursos intensivos o semiintensivos en situación de inmersión y a las expectativas y a las necesidades de un alumnado que realiza estancias breves en España. Cada nivel cubre alrededor de 40 horas lectivas (hasta 50 con el material complementario) y se presenta en forma de un solo volumen, con 10 unidades didácticas estructuradas del siguiente modo.

## 1. COMPRENDER
Se presentan textos y documentos muy variados que contextualizan los contenidos lingüísticos y comunicativos básicos de la unidad, y frente a los que los alumnos desarrollan fundamentalmente actividades de comprensión.

## 2. EXPLORAR Y REFLEXIONAR
En el segundo bloque los alumnos realizan un trabajo de observación de la lengua a partir de nuevas muestras o de pequeños corpus. Se trata de ofrecer un nuevo soporte para la tradicional clase de gramática, con el que los alumnos, dirigidos por el material y por el profesor, descubren el funcionamiento de la lengua en sus diversos niveles (morfológico, léxico, sintáctico, funcional, discursivo…). Esto es, se trata de ofrecer herramientas alternativas para potenciar y para activar el conocimiento explícito de reglas, sin tener que caer en una clase magistral de gramática.

En el mismo apartado se presentan esquemas gramaticales y funcionales a modo de cuadros de consulta. Con ellos se ha perseguido, ante todo, la claridad, sin renunciar a una aproximación comunicativa y de uso a la gramática.

## 3. PRACTICAR Y COMUNICAR
El tercer bloque está dedicado a la práctica lingüística y comunicativa. Incluye propuestas de trabajo muy variadas, pero que siempre consideran la significatividad y la implicación del alumno en su uso de la lengua.

En una primera parte, el objetivo es experimentar el funcionamiento de reglas en actividades que focalizan una u otra forma lingüística en lo que podríamos llamar "microtareas comunicativas".

En la segunda parte de esta sección, se proponen una o varias tareas cuyo objetivo es ejercitar verdaderos procesos de comunicación en el seno del grupo, que implican diversas destrezas y que se concretan en un producto final escrito u oral (una escenificación, un póster, la resolución negociada a un problema, etc.).

Cabe resaltar las novedosas propuestas comunicativas, que encontramos en esta parte del manual, basadas en la experiencia del alumno en un contexto hispanohablante: sus observaciones, su percepción del entorno se convierten en material de reflexión intercultural y en un potente estímulo para la interacción comunicativa dentro del grupo-clase.

## 4. VIAJAR
Incluye materiales con contenido cultural (textos informativos, canciones, poesía, juegos...) que ayudan al alumno a acercarse y a comprender mejor la realidad cotidiana y cultural en la que se halla.

## MÁS
Se proponen nuevas actividades de práctica formal que estimulan la reflexión y la fijación de los aspectos lingüísticos presentados en la unidad, diseñadas de modo que los alumnos las puedan realizar de forma autónoma, aunque también pueden ser utilizadas en la clase a modo de recapitulación de aspectos gramaticales y léxicos de la secuencia.

## AGENDA DEL ESTUDIANTE
Al final del libro se incluye un anexo con información útil para que los alumnos puedan desenvolverse en su vida cotidiana y en sus viajes por España (sitios web de interés, información sobre las comunidades autónomas, etc.).

Con **AULA** pretendemos llenar un vacío evidente con un material dúctil pero coherente, actual desde el punto de vista de las nuevas tendencias metodológicas pero al mismo tiempo fácil de usar, rico pero no complejo, que dedicamos a todos los colegas que realizan esa apasionante, y a veces no siempre suficientemente valorada tarea de enseñar la lengua en el propio país.

*Neus Sans Baulenas*
*Coordinadora pedagógica de Aula*

# ÍNDICE

# EL ESPAÑOL Y TÚ

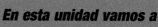

**En esta unidad vamos a**
**hacer recomendaciones a nuestros compañeros**
**para aprender español mejor**

**Para ello vamos a aprender:**

> a dar información personal > a hablar de hábitos > a expresar duración
> a preguntar y a responder sobre motivaciones > a hablar de dificultades
> a hablar de intenciones > a hacer recomendaciones
> verbos reflexivos > **porque/para** > **sentirse** + adjetivo
> **tener que** + Infinitivo / **hay que** + Infinitivo / **lo mejor es** + Infinitivo
> **pensar** + Infinitivo

## 1. TEST ORAL

**A.** Barbara está en España para hacer un curso intensivo de español. En su escuela le han hecho una entrevista para determinar su nivel. Escucha y completa la ficha.

**C.** Ahora formula las siguientes preguntas a tu compañero y anota sus respuestas. Luego, vas a explicárselas al resto de la clase.

**Test oral**
Cursos intensivos de español

Academia Mediterráneo

- NOMBRE:

- PAÍS:

- TIEMPO QUE PIENSA ESTAR EN ESPAÑA:

- PROFESIÓN:

- OTROS IDIOMAS:

- ¿POR QUÉ ESTUDIA ESPAÑOL?

- ¿CUÁNTO TIEMPO HACE QUE ESTUDIA ESPAÑOL?

- COSAS QUE LE GUSTA HACER EN CLASE:

- DIFICULTADES QUE TIENE CON EL ESPAÑOL:

- AFICIONES:

**1.** ¿Cómo te llamas?
**2.** ¿De dónde eres?
**3.** ¿Cuánto tiempo piensas estar en España?
**4.** ¿A qué te dedicas en tu país?
**5.** ¿Cuántos idiomas hablas?

**6.** ¿Por qué estudias español?
- Porque ahora vivo en España.
- Para conseguir un trabajo mejor.
- Porque tengo que hacer un examen.
- Porque tengo amigos españoles.
- Para conocer otra cultura, otra forma de ser.
- Porque quiero pasar un tiempo en un país de habla española.
- Porque necesito el español para mi trabajo.
- ......................................................

**7.** ¿Cuánto tiempo hace que estudias español?
**8.** ¿Qué cosas te gusta hacer en clase?
- Ejercicios de gramática.
- Actividades orales.
- Leer textos.
- Juegos.
- Trabajar en grupo.
- Traducir.
- Actividades con Internet.
- ......................................................

**9.** ¿Qué dificultades crees que tienes con el español?
- La gramática.
- La pronunciación.
- El vocabulario.
- Hablar con fluidez.
- Entender a la gente.
- ......................................................

**10.** ¿Qué te gusta hacer en tu tiempo libre?

- ¿De dónde eres, Peer?
- Noruego, ¿y tú?
- Yo soy alemán. ¿Cuánto tiempo piensas estar aquí, en España?

**B.** Compara tu ficha con la de tu compañero. ¿Tenéis toda la información? Podéis volver a escuchar la entrevista para completar la información que os falta.

**D.** Presenta a tu compañero al resto de la clase.

- Este es Peer, es noruego. Piensa estar aquí dos semanas. En Noruega trabaja en un hotel y...

# 2. TERROR EN LAS AULAS

**A.** Aquí tienes un fragmento de un artículo de una revista de educación. Léelo y subraya las cosas que también te pasan a ti o con las que estás de acuerdo.

## ¿Qué siente un alumno en una clase de idiomas? ¿Cómo vive la experiencia de aprender una nueva lengua?

En la clase de lenguas pueden aparecer muchas emociones negativas, como la ansiedad, el miedo o la frustración, que pueden afectar el proceso de aprendizaje. Pero también hay ilusiones, objetivos, creencias positivas. Hemos entrado en las aulas para recoger las opiniones de los alumnos. He aquí una muestra de los comentarios más repetidos.

"CREO QUE EL PROFESOR TIENE QUE MOTIVAR A LOS ESTUDIANTES"

74%

32%

"EL ESPAÑOL ES UNA LENGUA DIFÍCIL DE APRENDER"

"ME SIENTO RIDÍCULO CUANDO HABLO ESPAÑOL; TENGO MUCHO ACENTO"

38%

- "Creo que aprender idiomas ayuda a ser más tolerante con gente de otras culturas."

- "Me siento inseguro cuando tengo que responder a las preguntas del profesor."

- "Creo que hay idiomas más fáciles que otros."

- "Me siento mal cuando el profesor me corrige delante de mis compañeros."

- "La corrección gramatical no es lo más importante. Lo realmente importante es poder comunicarse."

- "No me gusta salir a la pizarra."

- "Me siento bien cuando el profesor y mis compañeros escuchan lo que digo y no solo cómo lo digo."

- "Me siento inseguro cuando hablo con un compañero que sabe más español que yo."

- "Me siento muy bien cuando trabajo en pequeños grupos."

- "Me gusta leer en voz alta mis redacciones."

- "Para un italiano o para un brasileño el español es bastante fácil."

- "Me siento un poco frustrado si no entiendo todas las palabras en una conversación."

- "Me siento fatal cuando todos me escuchan."

**B.** ¿Y tú? ¿Qué opinas? ¿Cómo te sientes en clase? Coméntalo con tus compañeros.

Yo también
Yo no

- Yo también creo que aprender idiomas ayuda a ser más tolerante con gente de otras culturas.

## 3. LOS NUEVOS ESPAÑOLES

**A.** Estas personas viven en España por distintos motivos. Lee los textos y decide cuál crees que tiene una vida más interesante y por qué.

**1. PAUL JONES (inglés).** Hace más de veinte años que **vive** en Barcelona y no **piensa** volver a su país. "Me gusta la vida aquí; no solo el clima, también la comida, la gente..." **Es** el director de una escuela de idiomas y **trabaja** muchas horas al día. **Viaja** mucho, no solo por España sino por toda Europa y Asia. **Está** casado con una española. "**Hablamos** en español, pero mi problema es que, después de 20 años, todavía **confundo** los tiempos verbales del pasado."

**2. LOTTA LANGSTRUM (sueca). Tiene** 37 años y hace dos años que vive en Santiago. Es profesora de canto y **enseña** en el conservatorio de música. Tiene las mañanas libres; normalmente **se levanta** temprano y **desayuna** en un bar. "Trabajo toda la tarde hasta las ocho y por las noches estudio un poco de español, **veo** la tele y **leo**." Todavía no **entiende** perfectamente el español, pero le gusta la ciudad. No **quiere** volver a Suecia, de momento.

**3. LUIS NARANJO (colombiano).** Hace un año que Luis vive en Granada. Está en España con una beca para hacer un máster de Medicina. Solo tiene clases por la tarde así que se levanta tarde y **pasea** por la ciudad. "Cada día **descubro** un rincón nuevo. Los fines de semana **vamos** de bar en bar y no **volvemos** a casa hasta la mañana siguiente. La gente aquí **sale** mucho." No sabe si quedarse en España o no.

**B.** ¿Tienes cosas en común con Paul, con Lotta o con Luis? Coméntalo con tus compañeros.

• Yo también paseo mucho por la ciudad.

**C.** En el texto hay algunos verbos destacados en negrita. Todos están en Presente. ¿Sabes cuál es su Infinitivo? Escríbelo en tu cuaderno.

**D.** Aquí tienes un modelo de verbo regular de cada conjugación. De los verbos anteriores, ¿cuáles funcionan como los del cuadro y cuáles no?

|  | hablar | comer | vivir |
|---|---|---|---|
| (yo) | hablo | como | vivo |
| (tú) | hablas | comes | vives |
| (él/ella/usted) | habla | come | vive |
| (nosotros/nosotras) | hablamos | comemos | vivimos |
| (vosotros/vosotras) | habláis | coméis | vivís |
| (ellos/ellas/ustedes) | hablan | comen | viven |

## 4. ME CUESTA...

**A.** Lee los problemas de estos estudiantes. ¿Con cuáles de ellos te identificas más?

**1. Mary (inglesa)** "No me acuerdo de las palabras cuando las necesito."

**2. Pedro (brasileño)** "Para mí, es muy difícil pronunciar la erre."

**3. Gudrun (sueca)** "Me cuesta entender a la gente; hablan muy rápido."

**4. Paul (alemán)** "Tengo poco vocabulario."

**5. Akira (japonés)** "La gente no me entiende cuando hablo."

**6. Lucy (canadiense)** "Me siento insegura cuando hablo."

**7. Hans (holandés)** "Para mí, lo más difícil son los verbos."

**8. Igor (ruso)** "Me cuesta entender los periódicos y las revistas."

• A mí también me cuesta pronunciar la erre.

**B.** ¿Qué problemas tienes tú? Completa las frases según tu experiencia.

1. A mí me cuesta/n ..........................................................
2. A mí no me cuesta/n ....................................................
3. Para mí lo más fácil es/son ...........................................
4. Para mí lo más difícil es/son .........................................

**C.** Estos son algunos consejos para los estudiantes del apartado A. ¿Para quién crees que son?

1. Para eso **lo mejor es** ver la tele, escuchar la radio...

2. Para eso **va bien** repetir muchas veces una frase y grabarla.

3. Creo que **tienes que** leer mucho: revistas, libros...

4. Yo creo que **va bien** hablar mucho, perder el miedo...

5. Creo que **lo mejor es** no preocuparse por entenderlo todo.

6. Yo creo que **va bien** intentar utilizar las palabras nuevas en las conversaciones.

7. **Tienes que** mirar la cara de la gente y las manos porque eso ayuda a entender lo que dicen.

8. Yo creo que **va bien** escribir las cosas que quieres recordar.

• El primer consejo puede ser para Paul y para Igor.

## PRESENTE DE INDICATIVO

### VERBOS REFLEXIVOS

|  | levantarse | sentirse |
|---|---|---|
| (yo) | me levanto | me siento |
| (tú) | te levantas | te sientes |
| (él/ella/usted) | se levanta | se siente |
| (nosotros/nosotras) | nos levantamos | nos sentimos |
| (vosotros/vosotras) | os levantáis | os sentís |
| (ellos/ellas/ustedes) | se levantan | se sienten |

● *Solo tengo clases por la tarde; así que **me levanto** tarde.*

### VERBOS IRREGULARES MÁS FRECUENTES

| ser | estar | ir | tener |
|---|---|---|---|
| soy | estoy | voy | tengo |
| eres | estás | vas | tienes |
| es | está | va | tiene |
| somos | estamos | vamos | tenemos |
| sois | estáis | vais | tenéis |
| son | están | van | tienen |

| O - UE | E - IE | E - I | C - ZC |
|---|---|---|---|
| poder | querer | vestirse | conocer |
| puedo | quiero | me visto | conozco |
| puedes | quieres | te vistes | conoces |
| puede | quiere | se viste | conoce |
| podemos | queremos | nos vestimos | conocemos |
| podéis | queréis | os vestís | conocéis |
| pueden | quieren | se visten | conocen |
| volver | entender | pedir | traducir |
| acordarse | pensar | servir | conducir |

Hay algunos verbos que tienen la primera persona irregular:
**hacer** (hago), **poner** (pongo), **salir** (salgo)...

## HABLAR DE LA DURACIÓN

● **¿Cuánto** (tiempo) **hace que** estudias español?
○ Dos años.

● **¿Hace mucho que** vivís en España?
○ Yo no, no mucho. Solo **hace** seis meses.
■ Yo sí, mucho tiempo; diez años ya.

## HABLAR DE MOTIVACIONES

● **¿Por qué*** estudiáis español?
○ Yo, **porque** quiero trabajar en España.
■ Pues yo, **para** conseguir un trabajo mejor.

* En las preguntas, **por qué** se escribe separado y con acento.

## HABLAR DE INTENCIONES

● ¿Cuánto tiempo **piensas** estudiar aquí?
○ Unos tres meses, ¿y tú?
● Yo, en principio, **pienso** quedarme un año.

## HABLAR DE PROBLEMAS Y DIFICULTADES EN EL APRENDIZAJE

| Me<br>Te<br>Le<br>Nos<br>Os<br>Les | **cuesta** (mucho/un poco) | hablar *(INFINITIVO)*<br>la gramática *(NOMBRES EN SINGULAR)* |
|---|---|---|
| | **cuestan** (mucho/un poco) | los verbos *(NOMBRES EN PLURAL)* |

● *A mí **me cuesta** mucho pronunciar la erre, ¿y a ti?*
○ *A mí **me cuesta** más la jota.*

● *¿Qué es lo que más **te cuesta**?*
○ *No sé... **Me cuestan** mucho los verbos, por ejemplo.*

### SENTIRSE + ADJETIVO + CUANDO + PRESENTE

● **Me siento** ridículo **cuando** hablo español.
○ Yo **me siento** insegura **cuando** hablo con nativos.

### OTROS RECURSOS

● Para mí, **lo más difícil es** entender a la gente.
○ Pues para mí, **(lo más difícil) son** los verbos.

● Para mí, **es muy difícil** entender películas en español.
○ Para mí, **son muy difíciles** las palabras largas.

## HACER RECOMENDACIONES

| Tienes/Tiene que<br>Lo mejor es | + Infinitivo |
|---|---|

● *Me cuesta entender a la gente.*
○ *Pues **tienes que** escuchar la radio o ver más la tele.*

● *Necesito más vocabulario.*
○ *Pues para eso **lo mejor es** leer mucho.*

| Va (muy) bien | + Infinitivo<br>+ nombres en singular |
|---|---|
| Van (muy) bien | + nombres en plural |

● *Para perder el miedo a hablar **va muy bien** salir con nativos.*
○ *Y también **van muy bien** los intercambios.*

## 5. DOS TRABAJOS

**A.** Lee el siguiente artículo sobre un día normal en la vida de Marta. Luego, relaciona las imágenes con las actividades que realiza.

**U**nas seis millones de españolas trabajan dentro y fuera de casa. Algunas tienen ayuda: su madre, su suegra, a veces su marido, o alguien que va a casa para limpiar o para cuidar a los niños. Pero hay muchas otras mujeres que no pueden o que no quieren pagar por este servicio. Marta Cortés, secretaria, de 37 años y con un hijo, es una de ellas. Este es su horario.

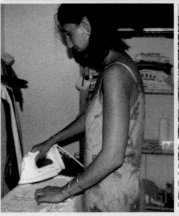

**B.** ¿Hay algo que te sorprende del horario de Marta? Coméntalo con tu compañero.

**C.** Puedes imaginar cómo es un día normal en la vida de Bruno, el marido de Marta. Escríbelo y, luego, compara tu versión con la de tu compañero.

**[De lunes a viernes]** Así es una jornada de Marta Cortés. [01] *6.45h*. Se levanta, se ducha, limpia un poco y plancha la ropa del día anterior. [02] *7:20h*. Despierta a su hijo, Hugo, y a su marido, Bruno. [03] *7:50h*. Viste al niño, hace las camas y lleva a Hugo al colegio. [04] *8.30h*. Empieza su jornada en una empresa de informática. [05] *15:30h*. Vuelve a su casa, come, pone la lavadora y descansa un rato en el sofá. [06] *17.00h*. La abuela recoge a Hugo del cole y lo lleva al parque mientras Marta va a clases de inglés. [07] *19.00h*. Marta va al supermercado. [08] *19.40h*. Marta vuelve a casa y prepara la cena. Bruno baña al niño. [09] *20.30h*. Después de cenar y acostar al niño, Marta y su marido charlan un rato o ven la tele. Es el momento de mayor intimidad antes de irse a la cama.

# 6. DIME CÓMO APRENDES Y...

**A.** En parejas, decidid cuáles de estas cosas son más útiles para aprender bien un idioma. ¿Podéis añadir alguna fórmula mágica?

**1. Es necesario**   **2. Va bien**

**3. No es necesario**

| | |
|---|---|
| MEMORIZAR MUCHAS PALABRAS | 2 |
| ESCRIBIR PEQUEÑOS MENSAJES (DE MÓVIL...) | ☐ |
| LEER PERIÓDICOS | ☐ |
| HABLAR CON GENTE DE LA CALLE | ☐ |
| HACER MUCHOS EJERCICIOS DE GRAMÁTICA | ☐ |
| REPETIR FRASES Y PALABRAS MUCHAS VECES | ☐ |
| HACER UN INTERCAMBIO CON UN NATIVO | ☐ |
| VER LA TELE | ☐ |

| | |
|---|---|
| HACER LISTAS DE PALABRAS | ☐ |
| TENER UN NOVIO O UNA NOVIA NATIVOS | ☐ |
| TRADUCIR TODAS LAS PALABRAS DE UN TEXTO | ☐ |
| LEER TEXTOS EN VOZ ALTA | ☐ |
| CHATEAR | ☐ |
| BUSCAR MUCHAS PALABRAS EN EL DICCIONARIO | ☐ |
| VIVIR EN EL PAÍS | ☐ |
| ESCRIBIR UN DIARIO | ☐ |
| INTENTAR COMPRENDER LAS PALABRAS POR EL CONTEXTO | ☐ |
| PEGAR FRASES Y PALABRAS EN LAS PAREDES DE CASA | ☐ |
| | ☐ |

**B.** Ahora explicad a vuestros compañeros cuáles son, para vosotros, las tres cosas más importantes.

• Para nosotros, las tres cosas más importantes son...

# 7. UN CUESTIONARIO DE ESPAÑOL

**A.** Imagina que quieres preparar un cuestionario sobre cómo aprender español. ¿Cuáles de las siguientes preguntas te parecen más adecuadas? Coméntalo con tu compañero y, entre los dos, elegid las seis mejores.

¿Te gusta estudiar español?

¿Estudias muchas horas al día?

¿Ves la televisión o películas en español?

Cuando estás en tu país, ¿navegas por páginas web en español?

¿Escribes correos electrónicos en español normalmente?

¿En el metro y en el autobús, escuchas a la gente?

¿Lees periódicos en español todos los días?

¿Hablas español fuera de clase? ¿Con quién?

¿Qué es lo más difícil del español para ti?

¿Te sientes cómodo cuando hablas español?

¿Cuándo te sientes más seguro en clase? ¿Y más inseguro?

¿Para ti es fácil o difícil aprender un idioma?

¿Qué haces para recordar lo que aprendes?

¿Qué es lo que más te gusta hacer en clase?

**B.** Ahora cada uno de vosotros hace el cuestionario a otro compañero. Anotad sus respuestas.

**C.** Vuelve con el compañero con el que has trabajado en el apartado A. Explícale qué problemas tiene la persona que has entrevistado y cómo aprende. ¿Qué consejos podéis darle? Comentadlo y completad la ficha. Luego, vais a entregársela.

• Susan casi nunca habla español fuera de clase.
○ Pues yo creo que tiene que salir más con españoles.
• Sí y también va muy bien vivir con una familia española, ¿no?

Nuestras recomendaciones para _____

—

—

—

—

—

...

# 8. ¿QUÉ SABES DE ESPAÑA?

**A.** ¿Sabéis muchas cosas sobre España? En grupos intentad completar estas informaciones. A ver si podéis completarlas todas.

Un político: ...........................................................
Un escritor: ...........................................................
Un director de cine: .................................................
Un actor o una actriz: ..............................................
Un músico o un grupo musical: .................................
Un pintor: ..............................................................
Un periódico: ..........................................................
Una comida: ..........................................................
Una bebida: ...........................................................
Un monumento: .......................................................
Un deportista: ........................................................
Una fiesta popular: ..................................................

**B.** Ahora pregunta a tus compañeros qué saben sobre tu país. Puedes referirte a los temas del apartado A o a otros.

• ¿Sabéis cuál es la capital de Australia?
○ Sydney.
• No, es Canberra. ¿Y el nombre de un actor o de una actriz australianos?
■ Nicole Kidman.

# 2

# HOGAR,
# DULCE HOGAR

En esta unidad vamos a
**buscar un compañero para compartir piso
y a diseñar una casa ideal**

**Para ello vamos a aprender:**

> a expresar gustos y preferencias
> a describir una casa  > a comparar
> a ubicar objetos en el espacio
> a expresar coincidencia
> a describir objetos: formas, estilos, materiales...

# COMPRENDER

## 1. DOS PISOS

**A.** Aquí tienes dos salones de dos pisos bastante distintos. Imagina que puedes elegir uno de los dos para vivir durante tu estancia en España. ¿Cuál te gusta más? ¿Por qué? Completa el cuadro y, luego, coméntalo con tu compañero.

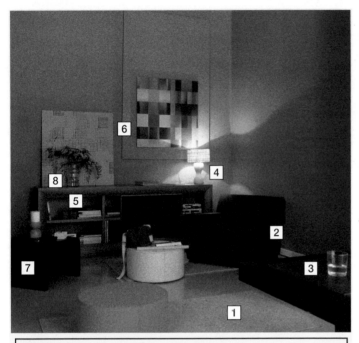

### Apartamento en el centro
**1.** Alfombra de fibra vegetal  **2.** Sillón rojo de Natalia Gómez-Angelats
**3.** Mesa rectangular de madera  **4.** Lámpara blanca  **5.** Estantería baja de madera  **6.** Cuadros de Javi Navarro  **7.** Mesa pequeña de madera
**8.** Jarrón de cristal

### Piso en zona residencial
**1.** Alfombra persa  **2.** Sofá clásico de tres plazas  **3.** Espejo con marco dorado  **4.** Silla modelo Arpa  **5.** Butaca negra de piel
**6.** Estantería de madera  **7.** Lámpara estilo imperio  **8.** Cojines de terciopelo de varios colores

| ¿QUÉ SALÓN ES MÁS...? | Apartamento | Piso |
|---|---|---|
| acogedor | | |
| luminoso | | |
| moderno | | |
| clásico | | |
| oscuro | | |
| grande | | |
| desenfadado | | |
| serio | | |
| atrevido | | |
| cálido | | |
| frío | | |

- A mí me gusta más el apartamento. Es muy moderno y parece muy acogedor.
○ Pues a mí me gusta más el piso. Es muy luminoso y parece muy grande. El apartamento es demasiado moderno...

**B.** Ahora fíjate en los muebles. ¿Cuáles te gustan? ¿Cuáles no? Escríbelo en el cuadro y, luego, coméntalo con tu compañero.

| Me gusta | No me gusta |
|---|---|
| la alfombra persa | |

- A mí me gustan la alfombra y la lámpara del piso...
○ Pues a mí...

**C.** ¿Os gustan los mismos muebles? Explicádselo a los demás compañeros.

| Tenemos | los mismos gustos |
|---|---|
| | gustos (muy) parecidos |
| | gustos (muy) diferentes |

- Peter y yo tenemos los mismos gustos. A los dos nos gusta...

# 2. PROMOCIONES INMOBILIARIAS

**A.** Una agencia inmobiliaria ha publicado estas ofertas de pisos y casas de alquiler. Mira el plano de la derecha y decide a qué vivienda corresponde.

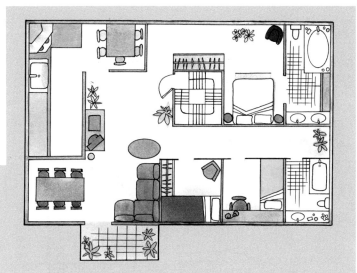

**Chalé** de nueva construcción. 367 m² en parcela de 600 m². Dos plantas + garaje (2 plazas). Recibidor, despacho, 3 baños, lavadero, cocina, salón-comedor de 60 m², terraza de 40 m², 5 habitaciones, trastero, sala de juegos. Fantásticas vistas. 3500 €/mes.

**Vivienda unifamiliar** de 80 m² en urbanización a 20 minutos del centro. 4 habitaciones, salón con chimenea, cocina comedor, 1 garaje,

2 baños y 1 aseo, 2 terrazas, 1 balcón. Jardín y piscina comunitarios. 1050 € / mes.

**Estudio** de 40 m². Sin amueblar. Ascensor. Bien situado y muy luminoso. 1 habitación. Edificio antiguo con encanto. Terraza. 500 €/mes.

**Piso** de 110 m². Muy bien comunicado. Muy tranquilo. Buena distribución: 3 habitaciones, 2 baños, amplio salón y balcón. Mucho sol.

Listo para entrar a vivir. 1300 €/mes.

**Ático** de 85 m² en perfecto estado. Parquet, 2 terrazas (una de 20 m²), 3 habitaciones, cocina totalmente equipada, baño + aseo. 1200 € /mes.

**Piso** de 80 m² en primera línea de mar. Salón, 2 habitaciones, cocina americana, balcón con vistas. 850 €/mes.

**Apartamento** de 60 m², a 5 minutos de la playa, 2 habitaciones, 1 baño, salón de 16 m². 600 €/mes.

**B.** Estas son las fichas de clientes de una agencia inmobiliaria. ¿Cuál de las viviendas anteriores puede ser más adecuada para cada uno de ellos? Coméntalo con tu compañero.

NOMBRE: Pedro Ruiz (29) y Mila Fontana (27)
PROFESIÓN: músico y profesora de español para extranjeros
NIVEL ADQUISITIVO: medio
HIJOS: dos (de 6 y 3 años)
ANIMALES: —
AFICIONES: ir al cine, ir a museos, nadar

NOMBRE: Ángel Pérez (42) y Lola Fuertes (36)
PROFESIÓN: director de una empresa multinacional y dentista (consulta en domicilio)
NIVEL ADQUISITIVO: alto
HIJOS: dos niños (de 7 y 4 años)
ANIMALES: —
AFICIONES: ir en bici, jugar a tenis, pasear

NOMBRE: Carlos de Andrés (23)
PROFESIÓN: repartidor de pizzas a domicilio
NIVEL ADQUISITIVO: medio-bajo
HIJOS: —
ANIMALES: un perro
AFICIONES: surf, jugar a fútbol, pescar

NOMBRE: María Candelaria Melero (45)
PROFESIÓN: periodista (trabaja en casa)
NIVEL ADQUISITIVO: medio-alto
HIJOS: —
ANIMALES: cuatro perros y dos gatos
AFICIONES: conectarse a Internet, leer

● Yo creo que Ángel y Lola pueden alquilar el ático.
○ No sé, tienen dos hijos y el ático no es muy grande. Quizá el chalé, ¿no? Es más grande y...

**C.** ¿Y tú? ¿En qué tipo de casa vives en tu país? ¿Cómo es? ¿Dónde está? Explícaselo a tus compañeros.

● Yo vivo en un estudio, en el norte de Londres, bastante lejos del centro. Es un poco pequeño, pero es muy acogedor. Tiene...

## 3. UNA CASA DE LOCOS

En esta casa de locos, los muebles están en lugares muy extraños. Mira el dibujo y completa las frases.

1. Hay una ................................... **encima de** la mesa.
2. Hay una ...................................... **detrás del** sofá.
3. **Debajo de** la ...................... hay un jarrón con flores.
4. Hay una ............................. **delante del** frigorífico.
5. Hay un ...................... **entre** el frigorífico y la cocina.
6. El ............................. está **a la derecha del** cuadro.
7. La ...................... está **a la izquierda del** cuadro.
8. El ............................................. está **al lado del** sofá.
9. **En el centro de** la habitación hay una ....................

## 4. LA CASA DE JULIÁN

🔊 CD 2 **A.** Vas a escuchar a Julián describiendo su casa. Escucha y completa las frases.

La casa de Julián...

es .............................................................................

está .........................................................................

tiene ........................................................................

da .............................................................................

**B.** ¿Cómo es tu casa aquí en España? Completa las frases y, luego, explícaselo a tu compañero.

Vivo ❑ en un piso / ❑ en una casa / ❑ en un estudio

Es .............................................................................

Está ..........................................................................

Tiene ........................................................................

Da .............................................................................

| mi casa ➡ **la mía** | mi piso ➡ **el mío** |
|---|---|
| tu casa ➡ **la tuya** | tu piso ➡ **el tuyo** |
| su casa ➡ **la suya** | su piso ➡ **el suyo** |

• Yo vivo en una casa. Es bastante grande, luminosa y tranquila. Está en las afueras, cerca del campo de fútbol. Tiene...
○ Pues la mía...

## 5. ES MÁS O MENOS IGUAL

**A.** Lee estas frases que han escrito unos extranjeros que viven en España. Fíjate en las estructuras que utilizan para comparar. ¿Con qué tipo de palabras se combinan?

| |
|---|
| 1. En mi país hay **más** casas con jardín **que** aquí. |
| 2. En mi país las calles están **más** limpias **que** aquí. |
| 3. En mi país las calles son **menos** ruidosas **que** aquí. |
| 4. En mi país las casas son **más** grandes **que** aquí. |
| 5. En mi país hay **menos** tráfico en las calles **que** aquí. |
| 6. En mi país no hay **tantas** casas antiguas **como** aquí. |
| 7. En mi país hay **menos** balcones **que** aquí. |
| 8. En mi país las casas son **más** pequeñas **que** aquí. |
| 9. En mi país hay **tantos** edificios antiguos **como** aquí. |
| 10. En mi país no hay ninguna ciudad **tan** grande **como** Madrid. |

**B.** Ahora piensa en el lugar donde vives en tu país y en el lugar de España donde estamos y compáralos utilizando estas estructuras. Escríbelo y, luego, coméntalo con tus compañeros.

| | | | |
|---|---|---|---|
| **En** mi ciudad/pueblo **hay**<br>**Mi** ciudad/pueblo **es**<br>**Mi** ciudad/pueblo **tiene** | tanto<br>tanta<br>tantos<br>tantas<br>tan<br>más<br>menos | cara/o<br>barata/o<br>grande<br>pequeña/o<br>ruidosa/o<br>tranquila/o<br>sucia/o<br>limpia/o<br>tráfico<br>bares<br>discotecas<br>parques<br>... | que<br>como ... |

• En mi pueblo hay menos bares que aquí.

# EXPRESAR GUSTOS

## GUSTAR/ENCANTAR

| (A mí) | me | | esta casa |
|---|---|---|---|
| (A ti) | te | **gusta/** | *(NOMBRES EN SINGULAR)* |
| (A él/ella/usted) | le | **encanta** | comer |
| (A nosotros/nosotras) | nos | | *(VERBOS EN INFINITIVO)* |
| (A vosotros/vosotras) | os | **gustan/** | estos muebles |
| (A ellos/ellas/ustedes) | les | **encantan** | *(NOMBRES EN PLURAL)* |

## PREFERIR

| (yo) | **prefiero** | |
|---|---|---|
| (tú) | **prefieres** | |
| (él/ella/usted) | **prefiere** | este sofá/estas sillas |
| | | *(NOMBRES)* |
| (nosotros/nosotras) | **preferimos** | vivir sola/tener jardín |
| (vosotros/vosotras) | **preferís** | *(VERBOS EN INFINITIVO)* |
| (ellos/ellas/ustedes) | **prefieren** | |

# EXPRESAR COINCIDENCIA

- Me encantan las casas con mucha luz. **¿Y a ti?**
- ○ **A mí también.**

- A mí no me gusta mucho cocinar. **¿Y a ti?**
- ○ **A mí tampoco.**

- No me gustan las playas. **¿Y a usted?**
- ○ **¿A mí? A mí sí.**

- Me encanta vivir en el centro. **¿A usted no?**
- ○ No. **A mí no.**

- Yo vivo en una casa antigua. **¿Y tú?**
- ○ **Yo también.**

- No como nunca en casa. **¿Y tú?**
- ○ **Yo tampoco.**

- No tengo mucho espacio en casa. **¿Y usted?**
- ○ Pues **yo sí.** Vivo solo.

- Busco una casa con jardín. **¿Y usted?**
- ○ **Yo no.** Yo busco un apartamento.

# MATERIAL

una mesa **de** madera/metal/cristal/mármol/plástico/... un armario metálico una mesa metálica

- **¿De qué es** esta silla?
- ○ **De** aluminio.

# SIN/CON/DE/PARA

| | pequeña/grande/luminosa/céntrica/... *(ADJETIVO)* |
|---|---|
| **una casa** | **con/sin** vistas/jardín/piscina/... *(NOMBRE)* |
| | **de** madera/piedra/ladrillo/... *(NOMBRE)* |
| | **para** vivir/ir de vacaciones/... *(INFINITIVO)* |

# UBICAR

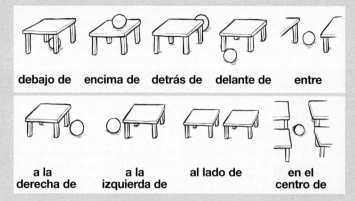

| debajo de | encima de | detrás de | delante de | entre |

| a la derecha de | a la izquierda de | al lado de | en el centro de |

- *No es bueno poner la cama **debajo de** una ventana.*
- *¿Te gusta el sofá aquí, **entre**\* los dos sillones?*

\*El sofá está **entre de** los dos sillones.
Recuerda: **de** + **el** = **del** / **a** + **el** = **al**

# COMPARAR

## SUPERIORIDAD

Con nombres
- Londres tiene **más** parques **que** Barcelona.

Con adjetivos
- Londres es **más** grande **que** Barcelona.

Formas especiales: **más bueno/a** ⇒ **mejor**
**más malo/a** ⇒ **peor**

## IGUALDAD

Con nombres

- Esta casa tiene
  - **tanto** espacio
  - **tanta** luz
  - **tantos** balcones
  - **tantas** habitaciones
- **como** la otra.

Con adjetivos
- Aquí las casas son **tan** caras **como** en mi país.

Con verbos
- En mi país la gente sale **tanto como** en España.
- Los franceses viajan **tanto como** los alemanes.

## INFERIORIDAD

Con nombres
- En mi país hay **menos** balcones **que** aquí.

- Esta casa **no** tiene
  - **tanto** espacio
  - **tanta** luz
  - **tantos** balcones
  - **tantas** habitaciones
- **como** la otra.

Con adjetivos
- Esta casa es **menos** luminosa **que** la otra.
- Aquí las casas **no** son **tan** caras **como** en mi país.

Con verbos
- En mi país la gente **no** sale **tanto como** en España.

## 6. MI LUGAR FAVORITO

**CD 3** **A.** Cuatro personas nos hablan de sus lugares favoritos en casa. Escucha y completa los datos que faltan en el cuadro.

| Nombre | Lugar favorito | Actividades | Mueble favorito |
|---|---|---|---|
| Carolina | el comedor  el baño | cenar con la familia | el sofá |
| Fiona | | leer  trabajar | su escritorio |
| Pedro | | | una cama de madera muy antigua |
| Encarna | | | una tumbona |

**B.** ¿Cuál es tu lugar favorito en tu casa? ¿Por qué? Coméntalo con tu compañero.

● Mi lugar favorito es la cocina porque me encanta cocinar.
○ Pues el mío es el balcón porque me gusta mirar a la gente.

**C.** ¿En qué lugar de la casa haces cada una de estas actividades? Escríbelo y, luego, coméntalo con tu compañero.

- estudiar ...............................
- escuchar música ...............................
- vestirte ...............................
- estar con los amigos ...............................
- leer ...............................
- usar el ordenador ...............................
- jugar con tus hijos/amigos ...............................
- hacer los deberes ...............................
- ver la televisión ...............................
- maquillarte/afeitarte ...............................
- reunirte con la familia ...............................
- echar la siesta ...............................
- desayunar ...............................

● Yo, normalmente, estudio en mi habitación. ¿Y tú?
○ Depende. A veces en mi habitación, a veces en el salón.

## 7. COSAS IMPRESCINDIBLES

**A.** Imagina que tu compañero y tú os vais a instalar en una casa nueva. ¿Qué cosas consideráis indispensables para vivir? Elegid las cinco cosas más necesarias. Aquí tenéis algunas ideas.

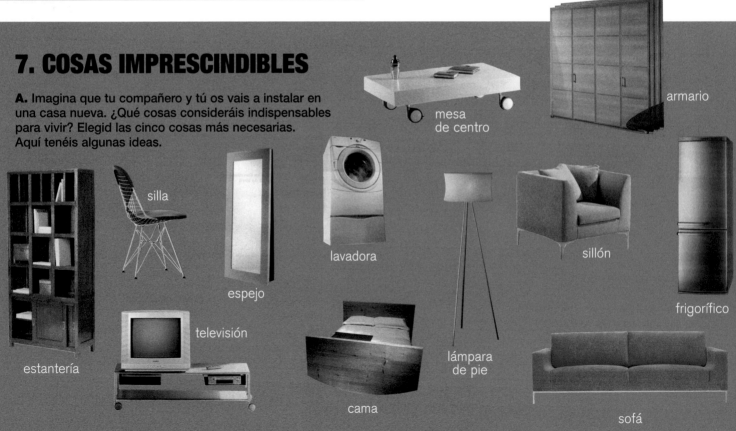

mesa de centro

armario

silla

lavadora

sillón

frigorífico

espejo

televisión

lámpara de pie

estantería

cama

sofá

# 8. COMPAÑEROS DE PISO

**A.** Imagina que tienes que compartir piso y que estás buscando un compañero. ¿Qué preguntas puedes hacerle para saber si sois compatibles? Aquí tienes algunas. Puedes añadir otras.

¿Eres ordenado/a?
¿Tienes novio/a?
¿Lavas los platos después de comer?
¿Te gustan los animales? ¿Tienes alguno?
¿Estudias o trabajas?
¿Te gusta hacer fiestas en casa?
¿Te gusta escuchar la música muy alta?
¿Sabes cocinar?
¿Fumas?
¿Hablas mucho por teléfono?
¿Tu familia te visita a menudo?
¿Te gusta ver la tele? ¿Qué tipo de programas?
.........................................................
.........................................................

**B.** Ahora, en grupos de tres, haz las preguntas a tus compañeros y decide con quién puedes compartir piso. Luego, explícaselo a los demás compañeros.

- Yo puedo vivir con Peter porque los dos somos bastante ordenados...

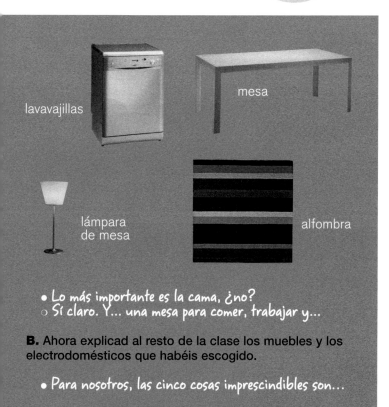

lavavajillas

mesa

lámpara de mesa

alfombra

- Lo más importante es la cama, ¿no?
- Sí claro. Y... una mesa para comer, trabajar y...

**B.** Ahora explicad al resto de la clase los muebles y los electrodomésticos que habéis escogido.

- Para nosotros, las cinco cosas imprescindibles son...

# 9. LA CASA IDEAL

**A.** Imagina que eres promotor inmobiliario y que quieres construir viviendas en la zona donde estás. Piensa, primero, en el tipo de público al que vas a dirigirte (jóvenes profesionales, jubilados extranjeros, familias con hijos...) y en su nivel adquisitivo. Luego, busca a otro compañero que ha escogido el mismo tipo de público.

**B.** Ahora, en parejas, vais a decidir las características de la vivienda ideal para ese tipo de público.

La vivienda para ...….......…… sobre todo tiene que...

| ser | estar |
|---|---|
| céntrica | en el centro de la ciudad |
| luminosa | en el centro histórico |
| (toda) exterior | un poco lejos del centro |
| tranquila | en las afueras |
| muy grande | en una urbanización |
| no muy cara | en el campo |
| acogedora | en la costa |
| espaciosa | en la sierra |
| cómoda | ................... |
| | ................... |
| un chalé | ................... |
| un apartamento | |

| tener |
|---|
| mucho espacio |
| dos/tres/... habitaciones |
| garaje |
| terraza |
| jardín |
| un salón grande |
| chimenea |
| dos/tres/... baños |
| una cocina grande |
| piscina |
| ................... |

un piso
un estudio
una casa
un loft
...................
...................
...................
...................
...................
...................
...................
...................

- Yo creo que para jóvenes profesionales, una casa tiene que ser céntrica y tiene que estar bien comunicada.
- Sí, con restaurantes y tiendas cerca.

**C.** Ahora vais a elegir un nombre para vuestro proyecto y a preparar la presentación. Tenéis que dar información sobre el tipo de público al que va dirigido el proyecto, cómo son las viviendas, dónde están situadas...

**D.** Ahora podéis presentar el proyecto a vuestros compañeros.

- Nuestro proyecto se llama Urbanización JASP. Son apartamentos en la playa para jóvenes profesionales. Tienen dos habitaciones, jardín con piscina...

## 10. PATIOS CORDOBESES

**A.** Córdoba es una ciudad de Andalucía. ¿La conoces? ¿Con cuáles de las siguientes palabras puedes asociar esta ciudad? Coméntalo con tus compañeros.

agua   geranios   flores   macetas   fuentes   mezquita
blanco   azul   calor   pozos   arcos   luz

- Yo asocio Córdoba con calor, flores...

**B.** Un aspecto muy característico de Córdoba son sus patios. Lee este texto sobre los patios cordobeses y mira las fotos.

# Festival de patios cordobeses

En mayo Córdoba abre las puertas de sus casas para enseñar a los visitantes sus patios, sus flores y su luz. Los patios de Córdoba son únicos en el mundo. Existen diferentes tipos: por un lado, están los patios de palacios o de conventos y, por otro, los patios populares, que están en el interior de las casas particulares. Aunque casi todos tienen las paredes pintadas (encaladas) de blanco y macetas con geranios, jazmines o rosas, es difícil encontrar dos patios iguales.

El festival premia los patios mejor decorados. Por eso, este es un momento ideal para verlos, aunque muchos están abiertos todo el año. Recomendamos visitarlos durante el día o al anochecer para poder disfrutar del olor del jazmín o del azahar. En algunos de ellos, además, ofrecen al visitante una bebida.

Los patios de Córdoba son una herencia de la cultura romana adaptada a las condiciones climatológicas de esta bella ciudad. El patio es una parte fundamental de la casa y en él se desarrolla parte de la vida familiar. De los árabes proviene el gusto por las flores y el agua. Decorados con fuentes, pozos y flores, son realmente una delicia en un clima tan caluroso.

El ayuntamiento ofrece mapas especiales para la ocasión con una guía con itinerarios recomendados y explicaciones. Sin embargo es aconsejable "callejear" sin rumbo y dejarse guiar por los vecinos que siempre conocen "el mejor patio" de la ciudad.

**C.** ¿Existe algo similar en tu país? ¿Cómo es la casa típica de la zona donde vives? ¿Cuál es la parte de la casa más característica?

# 3

## YO SOY ASÍ

En esta unidad vamos a
**describir a nuestros compañeros de clase**

*Para ello vamos a aprender:*

> a identificar y a describir físicamente a las personas
> a hablar de las relaciones y de los parecidos entre personas
> Presentes irregulares: **c-zc / e-i** > **llevarse bien/mal**
> **este/esta/estos/estas, ese/esa/esos/esas**
> **el/la/los/las** + adjetivo, **el/la/los/las** + **de** + sustantivo,
**el/la/los/las** + **que** + verbo > *las prendas de vestir*

# 1. HERMANOS

**A.** Estos son los hermanos Contreras. Elige a uno de ellos. Tu compañero te va a hacer preguntas para averiguar cuál es.

- ¿Es rubio?
- ○ No.
- ¿Es moreno?
- ○ Sí.
- ¿Lleva gafas?
- ○ Sí.

**1. Julián Contreras**
Es rubio.
Tiene los ojos azules.
Lleva barba.
Lleva el pelo corto.

**2. Marcos Contreras**
Es moreno.
Tiene el pelo rizado.
Tiene los ojos verdes.
Lleva bigote.
Lleva gafas.

**3. Alfredo Contreras**
Tiene el pelo castaño.
Tiene el pelo rizado.
Lleva el pelo largo.
Tiene los ojos verdes.
Lleva barba.
Lleva gafas.

**4. Ramón Contreras**
Es calvo.
Tiene los ojos marrones.
Lleva perilla.
Lleva gafas.

**5. Juan Contreras**
Es pelirrojo.
Tiene el pelo liso.
Lleva el pelo largo.
Tiene los ojos azules.
Lleva bigote.

**6. Rafa Contreras**
Es rubio.
Lleva el pelo corto.
Tiene los ojos negros.
Lleva perilla.
Lleva gafas.

**7. Esteban Contreras**
Es moreno.
Lleva el pelo corto.
Tiene el pelo rizado.
Tiene los ojos verdes.

**8. Pedro Contreras**
Tiene el pelo castaño.
Tiene el pelo rizado.
Lleva el pelo largo.
Tiene los ojos marrones.
Lleva bigote.
Lleva gafas.

**9. Miguel Contreras**
Es calvo.
Tiene los ojos marrones.
Lleva perilla.

**B.** Para ti, ¿cuál es el más guapo? ¿Y el más feo? ¿Cuál crees que es el más simpático?

- Para mí el más guapo es Esteban y el más simpático...

**10. Manuel Contreras**
Es pelirrojo.
Tiene el pelo rizado.
Lleva el pelo largo.
Tiene los ojos azules.
Lleva gafas.

## 2. LA BODA DEL HERMANO DE MARÍA DEL MAR

**A.** En la boda de su hermano, María del Mar está hablando con una amiga sobre algunos de los invitados. Escucha la conversación e intenta identificar en la ilustración a cada una de las personas de las que hablan.

**B.** Vuelve a escuchar la conversación y escribe qué relación tiene María del Mar con cada una de estas personas.

1. Juan José .................................................
2. Isabel .................................................
3. Ricardo .................................................
4. Aurora .................................................
5. Felipe .................................................
6. Leonor .................................................

**C.** Ahora intenta describir a alguien de la ilustración. Tu compañero tiene que descubrir de quién se trata.

- Es rubia, es muy guapa y lleva un vestido rojo.
- ¿Esta?
- Sí.

## 3. ¿A QUIÉN SE PARECE?

**A.** Observa estas fotografías. Cada una de estas personas es pariente de otra. Decide quién se parece a quién. Luego, coméntalo con tu compañero.

• Yo creo que Federica se parece a…

**B.** En parejas, comentad qué relación creéis que tienen.

• Federica y Regina son hermanas, ¿no?

**C.** Y tú, ¿a quién te pareces? Explícaselo a tu compañero.

> Yo, físicamente/en el carácter, me parezco a…

• Yo, físicamente, me parezco mucho a mi madre. Soy alto, como ella, y los dos tenemos los ojos azules. En el carácter me parezco más a mi padre…

## 4. ME LLEVO MUY BIEN CON…

**A.** Lee las opiniones de Luisa sobre cuatro personas. ¿Cómo crees que es su relación con ellas? ¿Buena o mala? Márcalo en cada caso.

> Luis es un sol. Es la persona más generosa que conozco.

> Carla es una persona muy divertida. Siempre está de buen humor. Me encanta salir con ella.

> Susi tiene algo que no sé… Es una persona muy negativa. Siempre está enfadada. Es muy rara.

> A Fernando no lo soporto. Es la típica persona que nunca te dice las cosas a la cara, se pasa el día criticando a la gente…

1. Luisa **se lleva** ❑ bien / ❑ mal **con** Luis.
2. Luisa **se lleva** ❑ bien / ❑ mal **con** Carla.
3. Luisa **se lleva** ❑ bien / ❑ mal **con** Susi.
4. Luisa **se lleva** ❑ bien / ❑ mal **con** Fernando.

**B.** Ahora piensa en las personas que conoces. ¿Con quién te llevas bien? ¿Con quién te llevas regular? ¿Con quién te llevas mal? Escríbelo en tu cuaderno y, luego, explícaselo a tus compañeros.

> Yo me llevo (muy) bien/regular/mal/fatal con…

• Yo me llevo muy bien con mi padre, pero…

## 5. MIS AMIGOS

**A.** Mar está pasando una temporada en Argentina. Hoy ha escrito a su hermana y le ha enviado una fotografía de sus amigos. ¿Puedes identificarlos?

¡Hola Pili!
¿Cómo va todo? ¡Yo genial! Estoy muy contenta de estar aquí ("acá", como se dice aquí en Argentina). Vivo en un piso enorme con compañeros de la Facultad. Me llevo muy bien con todos.
Te envío una foto con mis amigos de aquí: las de las gafas son hermanas. Leila es la morena y Sandra la rubia, son supersimpáticas. Héctor (mi novio) es el del jersey rojo. Y el de la guitarra es Óscar, un amigo de Héctor. La que tiene un vaso en la mano es Gabriela, una compañera de la Facultad. Me llevo muy bien con ella. ¡Ah!, y los que están encima de la mesa, son Mimí y Momó, los gatitos de la casa. Hermanita, ¡no puedo ser más feliz! Besos a todos y un abrazo muy fuerte para papá.
Mar

**B.** Para identificar algo o a alguien dentro de un grupo podemos utilizar las siguientes estructuras. Marca todas las que encuentres en el correo electrónico de Mar.

**el/la/los/las** + adjetivo
**el/la/los/las** + **de** + sustantivo
**el/la/los/las** + **que** + verbo

## ASPECTO FÍSICO

| Es | Tiene | | Lleva | |
|---|---|---|---|---|
| guapo/a | el pelo | rubio | el pelo | largo |
| feo/a | | castaño | | corto |
| rubio/a | | negro | barba | |
| moreno/a | | gris | bigote | |
| pelirrojo/a | | blanco | perilla | |
| calvo/a | | rizado | | |
| alto/a | | liso | gafas | |
| bajo/a (bajito/a*) | los ojos | negros | gorra | |
| gordo/a (gordito/a*) | | azules | sombrero | |
| delgado/a | | verdes | camisa | |
| | | marrones | traje | |

- *Siempre lleva traje, pero hoy lleva **una** camiseta azul.*

\* Los adjetivos **bajo/a** y **gordo/a** pueden resultar ofensivos. Se suelen utilizar en su lugar los diminutivos **bajito/a** y **gordito/a**.

## MEDIR

| | medir (e-i) |
|---|---|
| (yo) | mido |
| (tú) | mides |
| (él/ella/usted) | mide |
| (nosotros/nosotras) | medimos |
| (vosotros/vosotras) | medís |
| (ellos/ellas/ustedes) | miden |

Otros verbos: **pedir**, **reír**, **servir**, **corregir**, **elegir**...

- *Mido 1,80 y peso 78 kilos.*

## IDENTIFICAR
### PRONOMBRES DEMOSTRATIVOS

| | Masculino singular | Femenino singular | Masculino plural | Femenino plural |
|---|---|---|---|---|
| aquí | **este** | **esta** | **estos** | **estas** |
| ahí | **ese** | **esa** | **esos** | **esas** |

- *¿Quién es **ese/esa**?*   ● *¿Quiénes son **esos/esas**?*
- ○ *Mi hermano/hermana.*   ○ *Mis hermanos/hermanas.*

**El/la/los/las**
Pronombre demostrativo   + adjetivo

- ***El** rubio es mi hermano.*
- ***Ese** rubio es mi hermano.*

**El/la/los/las**
Pronombre demostrativo   + **de** + sustantivo

- ***Los del**\* coche azul son mis vecinos.*
- ***Esos del**\* coche azul son mis vecinos.*

\* **de** + **el** = **del**

**El/la/los/las**
Pronombre demostrativo   + **que** + verbo

- ***La que** está en la puerta es mi jefa.*
- ***Esa que** está en la puerta es mi jefa.*

## HABLAR DE PARECIDOS
### PARECERSE (C-ZC)

| (yo) | **me parezco** |
|---|---|
| (tú) | **te pareces** |
| (él/ella/usted) | **se parece** |
| (nosotros/nosotras) | **nos parecemos** |
| (vosotros/vosotras) | **os parecéis** |
| (ellos/ellas/ustedes) | **se parecen** |

Otros verbos: **nacer, conocer, merecer**...

Yo **me parezco a** mi padre. = Mi padre y yo **nos parecemos**.

### COMO

- Soy bastante alto, **como** mi padre.
- En el carácter soy **como** mi madre.

## HABLAR DE RELACIONES
### IDENTIFICAR

- **Es un** compañero de trabajo.
- **Son unos** compañeros de piso.

- **Es una** prima **mía**.
- **Son unos** amigos **míos**.

- **Es mi** marido.
- **Son mis** hermanos.

### VALORAR UNA RELACIÓN

| | llevarse | |
|---|---|---|
| (yo) | **me llevo** | |
| (tú) | **te llevas** | |
| (él/ella/usted) | **se lleva** | **bien/mal (con)**... |
| (nosotros/nosotras) | **nos llevamos** | |
| (vosotros/vosotras) | **os lleváis** | |
| (ellos/ellas/ustedes) | **se llevan** | |

- *Merche **se lleva bien con** Luis, ¿no?*
- *Sí, **se llevan muy bien**.*

~~Luis Miguel **se lleva** bigote.~~    Luis Miguel **lleva** bigote.

### RELACIONES DE PAREJA

| Estar | casado/a soltero/a divorciado/a separado/a viudo/a | Tener | pareja novio/a | Salir con | un chico una chica alguien |
|---|---|---|---|---|---|

## 6. BUSCAR PAREJA

**A.** Lee estos dos anuncios de la sección de contactos de una página web. En parejas, elegid uno de ellos y escribid el anuncio de alguien ideal para esa persona.

**Atrás** **Adelante** **Detener** **Actualizar** **Página principal** **Autorrelleno** **Imprimir** **Correo**

Dirección: @ www.vivirlavida.es/tumedianaranja

Página inicial de actualidad | Apple | iTools | Soporte de Apple | Apple Store | Productos para Mac | Microsoft Office | Internet Explorer

Favoritos | Historial | Buscar | Álbum | Marcador de páginas

# t u m e d i a n a r a n j a

### I. ABOGADA SOLTERA BUSCA

Me llamo Daniela y estoy soltera. Tengo 45 años, mido 1,65 y peso 67 kilos. Soy morena y tengo los ojos azules. Soy abogada. Me gusta la jardinería, pasar los fines de semana en el campo y montar a caballo. Soy una persona optimista, alegre y en general me llevo bien con todo el mundo. Quiero conocer a un hombre cariñoso, preferentemente moreno y maduro, de entre 40 y 45 años, para matrimonio. No importa su situación económica.

### 2. CHICA EXPLOSIVA

¡Hola! ¿Quieres conocer a una chica explosiva? Me llamo Sonia y tengo 22 años. Mido 1,72 y peso 66 kilos. Soy rubia y tengo los ojos verdes. Mis amigos dicen que me parezco a Pamela Anderson. Actualmente trabajo en una agencia inmobiliaria. Me encanta viajar, bailar y divertirme. Quiero conocer a un chico alegre, a ser posible alto y guapo, para ser amigos y, poco a poco, descubrir si podemos ser algo más. ¡Escríbeme!

**B.** Ahora vais a leer vuestro anuncio en voz alta. Vuestros compañeros tienen que decidir si la persona encaja con Daniela o con Sonia.

## 7. ¿A QUIÉN SE PARECE TU COMPAÑERO?

**A.** Elige a uno de tus compañeros de clase y piensa a quién se parece. Luego, coméntaselo a los demás, que van a intentar descubrir quién es.

- Se parece bastante a Madonna.
- ○ ¿Amanda?
- No.
- ■ ¿Jacqueline?
- ...

**B.** Ahora justifica tu decisión a tus compañeros.

- Jacqueline tiene los mismos ojos que Madonna, también es muy moderna...

## 8. UNA CITA A CIEGAS

**A.** Imagina que vas a encontrarte con alguien que nunca te ha visto. Escríbele un correo electrónico para explicarle cómo eres y entrégaselo a tu profesor.

**B.** Tu profesor va a repartir las descripciones. ¿Quién es el más rápido en saber de quién se trata?

# 9. ¿CÓMO ES THOMAS?

**A.** Observa bien durante un minuto a todas las personas de la clase e intenta memorizar todos los rasgos de su aspecto que puedas. Luego, tu profesor va a dividir la clase en dos grupos. Cada grupo tiene que colocarse de espaldas al otro grupo.

**B.** Tu profesor va a decir el nombre de una persona del grupo contrario. Entre los miembros del grupo tenéis que escribir todo lo que recordéis (de su físico y de la ropa que lleva).

**C.** Ahora cada grupo lee en voz alta la información que ha recopilado. ¿Qué grupo recuerda más cosas?

- Thomas es muy guapo y tiene los ojos azules.
  ○ Sí.
- Lleva una camisa negra.
  ○ Sí.

# 10. MODELOS DE FAMILIA

**A.** Aquí tienes cinco modelos de familia española. Lee los textos. ¿Cuál crees que es la familia más típica española? ¿Y la menos típica? ¿Cómo vive la gente que conoces en España? Coméntalo con tus compañeros.

**01** ↓

*Pilar y Manuel, 57 y 62 años, viven en un pueblo de la provincia de Zamora. Él es agricultor y ella, ama de casa. Viven con sus tres hijos: Eli, de 31 años, Mercedes, de 27, y Ricardo, de 23.*

**02** ↓

*Ángela tiene 34 años. Es propietaria de un pequeño negocio. Vive con su hijo de tres años en una casa adosada en las afueras de Madrid.*

**04** ↓

*Ricardo vive en un ático en el centro de Palma de Mallorca. Vive con su gato. Tiene 26 años y dice que no necesita vivir en pareja porque con sus amigos nunca está solo.*

**05** →

**03** ↓

*Lupe, dominicana de 25 años, y Francis, valenciano de 26, hace dos años que viven juntos en un piso de 45 metros en el centro de Valencia. Francis trabaja en un restaurante y Lupe es dependienta en una tienda de moda y, por las tardes estudia Psicología. No están casados y, por el momento, no piensan tener hijos.*

*David es inglés y tiene 41 años. Nuria es española y tiene 39. Están casados y tienen una hija adoptiva de un año, Laura, de origen chino. Los dos son profesores. Viven en el centro de Barcelona.*

**B.** Ahora lee los siguientes titulares de prensa. ¿Con qué personas del reportaje los puedes relacionar? Puede haber más de una opción.

**A** *El porcentaje de parejas de hecho no supera el 5%*

**B** LAS FAMILIAS MONOPARENTALES REPRESENTAN SOLO EL 4,5% DE LAS MUJERES Y EL 1% DE LOS HOMBRES

**C** EL GOBIERNO APRUEBA COMPENSACIONES ECONÓMICAS PARA LAS FAMILIAS NUMEROSAS

**D** Crece el número de matrimonios y uniones entre españoles y extranjeros

**E** Aumento del número de adopciones de matrimonios españoles en China

**F** La tasa de fecundidad española es una de las más bajas del mundo (1,2 hijos por mujer)

**G** Aumenta el número de jóvenes que se independizan en las grandes ciudades

**A**

# ¿QUÉ QUERÉIS TOMAR?

**Para ello vamos a aprender:**
> a desenvolvernos en situaciones muy codificadas:
invitaciones, presentaciones, saludos y despedidas
> a pagar  > a captar la atención de alguien
> algunas expresiones con Imperativo
> usos de *tú* y *usted*  > *estar* + Gerundio

## 1. EN UN BAR

**A.** Observa estas ilustraciones. ¿Qué relación crees que tienen estas personas entre ellas? ¿Qué crees que pasa en cada situación? Coméntalo con tu compañero.

• Yo creo que Carlos y Abel son amigos. Están en un bar y Abel quiere invitar a Carlos, pero...

**B.** Ahora escucha las conversaciones y comprueba tus hipótesis. ¿Cuáles de estas cosas hacen los protagonistas en cada una de las situaciones? Márcalo.

| | 1 | 2 | 3 | 4 |
|---|---|---|---|---|
| invitar | | | | |
| presentar a alguien | | | | |
| pedir algo al camarero | | | | |
| pagar | | | | |
| interesarse por la vida de alguien | | | | |
| saludar | | | | |
| despedirse | | | | |
| aceptar una invitación | | | | |
| rechazar una invitación | | | | |

# 2. SALUDOS Y DESPEDIDAS

**A.** Lee los textos de la derecha. ¿A qué fotografías corresponde cada uno? Márcalo. ¿En cuáles se saludan? ¿En cuáles se despiden?

☐
- Hombre, Manuel, ¡cuánto tiempo sin verle! ¿Cómo va todo?
- Bien, bien, no me puedo quejar. ¿Y usted cómo está?
- Pues hombre, tirando…
- ¿Y la familia?
- Bien, gracias.

☐
- ¡Hola Susana! ¿Qué tal?
- Bien, muy bien. ¿Y tú? ¿Cómo estás?
- Muy bien también. ¡Cuánto tiempo!
- Pues, por lo menos un año… ¿no?
- Más, creo.

☐
- Bueno, pues nada, que me tengo que ir, que tengo un montón de recados que hacer… Me alegro mucho de verla…
- Sí, yo también. Venga, pues adiós. ¡Y recuerdos a su familia!
- Igualmente. ¡Y un abrazo muy fuerte a su madre!
- De su parte. ¡Adiós!
- Adiós.

☐
- Bueno, me voy…
- Vale, pues nos llamamos, ¿no?
- Sí, venga, te llamo.
- ¡Hasta luego!
- ¡Nos vemos!

**B.** ¿Qué otras formas conoces para saludarse o para despedirse?

## 3. ¿QUÉ ESTÁN HACIENDO?

**A.** Todas estas frases hacen referencia a acciones relacionadas con el presente, pero de distinta manera. ¿Sabes cuándo transcurren las acciones expresadas por los verbos marcados? Completa el cuadro.

1. ● ¿Diga? Sí. Estoy saliendo de casa. En cinco minutos estoy allí.
2. ● Estás trabajando demasiado. Necesitas unas vacaciones.
3. ● Normalmente voy al trabajo en moto.
4. ● Pues ahora estoy saliendo con Jorge. Es un compañero de la facultad. Hace dos años que nos conocemos.
5. ● Estoy esperando a Luis. Tiene que llegar con este tren.
6. ● Estamos bebiendo un vino buenísimo. ¿Quieres una copa?
7. ● Mi madre cocina muy bien.
8. ● Señores pasajeros, estamos volando sobre los Pirineos, a 9000 metros de altitud.
9. ● ¿En Málaga? Muy bien, es una ciudad maravillosa. Estamos viviendo en un apartamento fantástico al lado de la playa.
10. ● Creo que voy a tener que hacer una dieta para adelgazar. Es que como demasiados dulces.

| | Acciones... | | |
|---|---|---|---|
| | ... que suceden en el momento en que hablamos ↓ AHORA | ... que presentamos como habituales ←\|→ AHORA | ... que presentamos como temporales ←\|→ AHORA |
| 1 | | | |
| 2 | | | |
| 3 | | | |
| 4 | | | |
| 5 | | | |
| 6 | | | |
| 7 | | | |
| 8 | | | |
| 9 | | | |
| 10 | | | |

**B.** En la primera y en la tercera columna encontramos una nueva estructura: **estar + Gerundio**. Escribe en tu cuaderno todos los gerundios que encuentres en las frases. Luego, escribe al lado sus infinitivos correspondientes. ¿Puedes deducir cómo se forma el Gerundio?

## 4. SITUACIONES

**A.** Todas estas frases son frecuentes en situaciones de contacto social. En todas ellas aparece un nuevo tiempo verbal: el Imperativo. Marca las formas verbales que están en Imperativo.

1. ● ¡Cóbreme, por favor!
2. ● Deja, ya pago yo.
3. ● ¿15 euros? Tenga.
4. ● Pues mira, estamos tomando aquí unas cañitas.
5. ● ¡Oiga! Dos cañas más, por favor.
6. ● ¡Adiós! Y llámame, ¿eh?
7. ● Y a mí póngame un café…
8. ● Tómate algo, hombre.

**B.** El Imperativo tiene formas distintas para **tú** y para **usted**. Completa el cuadro con los verbos que faltan.

| tú | usted |
|---|---|
| cóbrame | |
| | deje |
| ten | |
| | mire |
| oye | |
| | llámeme |
| ponme | |
| | tómese |

## 5. TÚ O USTED

**A.** ¿Qué tratamiento crees que es más adecuado en las siguientes situaciones: **tú** o **usted**? Para cada uno de vosotros puede haber soluciones distintas.

| | tú | usted |
|---|---|---|
| 1. En una tienda. Le preguntas algo a una dependienta. Es una chica joven. | | |
| 2. En un restaurante. Le pides algo a una camarera que tiene unos 50 años. | | |
| 3. En un taxi. El taxista es un señor de unos 60 años. | | |
| 4. En casa de un amigo. Hablas con sus padres. | | |
| 5. Al marido de una amiga tuya española. | | |
| 6. En una entrevista de trabajo, a un directivo de la empresa. | | |
| 7. A la portera del edificio en el que vives. Es una señora mayor. | | |
| 8. En un banco. El empleado tiene tu edad y te conoce porque eres un cliente habitual. | | |
| 9. En una discoteca. Le pides algo al camarero. | | |
| 10. A los profesores de la escuela. | | |

**B.** ¿Existen diferentes formas de tratamiento en tu lengua? ¿En qué situaciones se utilizan?

● En mi país casi siempre hablamos de usted con personas mayores, pero cuando hablamos con...

# ESTAR + GERUNDIO

Cuando presentamos una acción o situación presente como algo temporal, utilizamos **estar** + Gerundio.

| | |
|---|---|
| (yo) | **estoy** |
| (tú) | **estás** |
| (él/ella/usted) | **está** + Gerundio |
| (nosotros/nosotras) | **estamos** |
| (vosotros/vosotras) | **estáis** |
| (ellos/ellas/ustedes) | **están** |

● *Estoy dando* clase en varias escuelas.

A veces podemos expresar lo mismo en Presente con un marcador que significa temporalidad: **últimamente**, **estos últimos meses**, **desde hace algún tiempo**…

● *Últimamente doy clase en varias escuelas.*

Cuando queremos especificar que la acción se está desarrollando en el momento preciso en el que estamos hablando, solo podemos usar **estar** + Gerundio.

● *No se puede poner al teléfono, se está duchando.*
● *No se puede poner al teléfono, se ducha.*

## GERUNDIOS REGULARES

| | | | | |
|---|---|---|---|---|
| habl**ar** | ➡ | habl**ando** | beb**er** | ➡ | beb**iendo** |
| | | | escrib**ir** | ➡ | escrib**iendo** |

## GERUNDIOS IRREGULARES

Cuando inmediatamente antes de la terminación **-er/-ir** hay una vocal, la terminación del Gerundio es **-yendo**.

| | | | | | |
|---|---|---|---|---|---|
| l<u>e</u>er | ➡ | le**yendo** | <u>o</u>ír | ➡ | o**yendo** |

## OTROS GERUNDIOS IRREGULARES

| | | | | | |
|---|---|---|---|---|---|
| decir | ➡ | d**i**ciendo | reír | ➡ | r**i**endo |
| venir | ➡ | v**i**niendo | dormir | ➡ | d**u**rmiendo |

# ALGUNOS USOS DEL IMPERATIVO

## INVITAR

● **¡Tómate** algo con nosotros! (tú)
● **Tómese** algo. (usted)

● **Deja**, ya pago yo. (tú)
● **Deje**, ya pago yo. (usted)

## CAPTAR LA ATENCIÓN DE ALGUIEN

● **Oye**, espera que te presento. (tú)
● **Oiga**, ¡cóbreme, por favor! (usted)

## INTRODUCIR UNA EXPLICACIÓN O PRESENTAR A ALGUIEN

● Pues **mira**, últimamente no estoy saliendo con nadie. (tú)
● **Mire**, le presento al señor Rodríguez. (usted)

## ENTREGAR ALGO

● **Ten.** (tú)
● **Tenga.** (usted)

## PAGAR

● **¡Cóbrame**, por favor! (tú)
● **¡Cóbreme**, por favor! (usted)

## CONCLUIR UNA CONVERSACIÓN O ANIMAR A HACER ALGO

● **¡Venga***, hombre, **apúntate** a la fiesta! (tú)
● **¡Venga***, hombre, **apúntese** a la fiesta! (usted)

*Venga se utiliza como una expresión fija tanto para **usted** como para **tú**. Solo cuando nos referimos a la acción de **venir** se utilizan las dos formas: **ven** (tú), **venga** (usted).

> Los pronombres personales van siempre después de los imperativos: ¡Cóbre**me**!

# TÚ Y USTED

La elección entre **tú** y **usted** depende de muchos factores: la edad, la jerarquía, la confianza… Fíjate en que las formas **usted** y **ustedes** siempre son las de la 3ª persona del singular y del plural respectivamente.

## PRESENTE DE INDICATIVO

| | tú | usted | vosotros | ustedes |
|---|---|---|---|---|
| hablar | habla**s** | habla | habl**áis** | habla**n** |
| comer | come**s** | come | com**éis** | come**n** |
| escribir | escribe**s** | escribe | escrib**ís** | escribe**n** |
| despertar**se** | **te** despiertas | **se** despierta | **os** despert**áis** | **se** despiertan |
| **gustar** | **te** gusta/n | **le** gusta/n | **os** gusta/n | **les** gusta/n |

## POSESIVOS

| tú | usted | vosotros | ustedes |
|---|---|---|---|
| **tu** padre | **su** padre | **vuestro** padre | **su** padre |
| **tu** madre | **su** madre | **vuestra** madre | **su** madre |
| **tus** hermanos | **sus** hermanos | **vuestros** hermanos | **sus** hermanos |
| **tus** hermanas | **sus** hermanas | **vuestras** hermanas | **sus** hermanas |

# FÓRMULAS DE CORTESÍA

● **Y** la familia, **¿qué tal?**
● **Y** tu/su mujer, **¿cómo está?**
● **¡Recuerdos a** tu/su familia!
● **¡Saludos a** Pedro!
● **¡Un abrazo a** tu/su madre!

# FÓRMULAS DE TRATAMIENTO

| | |
|---|---|
| **(el) señor** | nombre |
| + | apellido |
| **(la) señora** | nombre y apellido |

● *¿Es usted **la señora** Jiménez?*
● ***Señor** Gutiérrez, venga por aquí, por favor.*

## 6. ¿CÓMO SON?

**A.** Hace dos semanas que Saskia, una chica holandesa, está en España. Estas son algunas de sus opiniones sobre los españoles. ¿Estás de acuerdo con ella? ¿La gente se comporta de la misma forma en tu país?

Los españoles siempre se besan cuando se saludan

Las parejas se besan en la calle

La gente grita mucho

La gente mira mucho por la calle

La gente se toca mucho

Todos hablan al mismo tiempo

La gente es muy amable

**B.** ¿Qué otras cosas has observado tú que también te llaman la atención? Coméntalo con tus compañeros.

● En el metro o en el autobús, la gente…

## 7. ¿TÚ, VOSOTROS, USTED O USTEDES?

🔊 **CD 6** Vas a escuchar una serie de frases. Marca en cada caso el tratamiento que utiliza la persona que habla: **tú**, **vosotros**, **usted** o **ustedes**.

|   | tú | vosotros | usted | ustedes |
|---|----|----------|-------|---------|
| 1 |    |          |       |         |
| 2 |    |          |       |         |
| 3 |    |          |       |         |
| 4 |    |          |       |         |
| 5 |    |          |       |         |
| 6 |    |          |       |         |
| 7 |    |          |       |         |
| 8 |    |          |       |         |

## 8. EN ESPAÑA Y EN MI PAÍS

Piensa en tres cosas que estás haciendo desde que estás en España y que normalmente no haces en tu país. Escríbelo y, luego, coméntalo con tus compañeros.

1. ...................................................................

2. ...................................................................

3. ...................................................................

• Yo aquí en España estoy saliendo mucho y en Noruega normalmente solo salgo los fines de semana.
○ Pues yo estoy comiendo mucho pescado y en Alemania como más carne.

## 9. JUGAMOS A SER ESPAÑOLES

**A.** En parejas o en grupos de tres, vais a imaginar que sois españoles y que estáis en una de estas cuatro situaciones. Elegid una y preparad una posible conversación que luego vais a representar para toda la clase.

1. Estáis tomando algo en un bar. Ya os vais, pedís la cuenta y cuando llega la hora de pagar, todos queréis pagar.

2. Estáis dos amigos en un bar y os encontráis con el padre de otro amigo. Uno de vosotros lo conoce y se lo presenta al otro. También le invitáis a tomar algo con vosotros.

3. Os encontráis dos amigos en un bar. Hace mucho tiempo que no os veis. Os saludáis y os preguntáis sobre vuestra vida.

4. Os encontráis dos amigos casualmente por la calle. Uno de vosotros quiere invitar al otro a tomar algo, pero este rechaza la invitación porque no tiene tiempo. El primero insiste.

**B.** Ahora vais a ser espectadores de diferentes situaciones. ¿Qué grupo actúa de una forma más típicamente española? ¿Por qué?

## 10. ¿DÓNDE VAMOS?

**A.** En España es muy habitual desayunar, comer, cenar o tomar algo en establecimientos como estos. ¿Es igual en tu país? ¿Existen el mismo tipo de establecimientos? ¿Cómo son? Coméntalo con tus compañeros.

- En mi país, normalmente desayunamos en casa, pero la gente, a veces, toma café en las panaderías.
- En mi país, por ejemplo, los restaurantes no tienen menú del día.

Luisa Pacheco, 56 años, propietaria del restaurante "El rey"

"Nosotros, durante el año, solo abrimos los fines de semana, pero en verano abrimos todos los días. Nuestra especialidad es el pescado, sobre todo, las gambas y las paellas. No tenemos menú, todo es a la carta. Los domingos, si no tienes reserva, te quedas sin mesa. La gente viene a partir de las doce para tomar el vermú y unas tapas. Pero si llueve, no viene nadie."

Felipe Echevarría, 46 años, camarero del restaurante "El gran café"

"Nosotros trabajamos mucho a mediodía. El restaurante se llena a esa hora porque estamos en una calle muy céntrica y tenemos un menú muy bueno; es un poco más caro que el de la mayoría de restaurantes de la zona, pero es bastante mejor. La gente empieza a llegar a las dos y está lleno hasta las cuatro más o menos. Por la noche no tenemos menú, todo es a la carta, y los fines de semana cerramos. ¡Por suerte!"

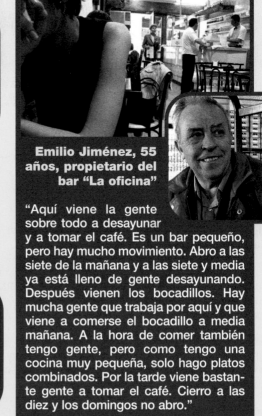

Emilio Jiménez, 55 años, propietario del bar "La oficina"

"Aquí viene la gente sobre todo a desayunar y a tomar el café. Es un bar pequeño, pero hay mucho movimiento. Abro a las siete de la mañana y a las siete y media ya está lleno de gente desayunando. Después vienen los bocadillos. Hay mucha gente que trabaja por aquí y que viene a comerse el bocadillo a media mañana. A la hora de comer también tengo gente, pero como tengo una cocina muy pequeña, solo hago platos combinados. Por la tarde viene bastante gente a tomar el café. Cierro a las diez y los domingos no abro."

Rafa Ojeda, 23 años, camarero de "La boite"

"Nosotros abrimos a las siete de la tarde, pero a esa hora viene poca gente. El bar se llena a partir de las once y media o doce. No es una discoteca, pero la gente puede bailar porque tenemos una pequeña pista y nuestro DJ es muy bueno. Los días fuertes son los jueves, los viernes y los sábados. Cerramos todos los días a las tres, bueno, a veces un poquito más tarde…"

**B.** ¿Hay establecimientos en tu país que no existen en España?

- En mi país hay unos bares muy típicos donde se toman zumos tropicales.

# 5

En esta unidad vamos a
**planificar un día en una ciudad española**

Para ello vamos a aprender:

> a hablar de actividades de ocio  > a hablar de horarios
> a relatar experiencias pasadas  > a describir lugares
> a hablar de intenciones y de proyectos
> el Pretérito Perfecto  > ir a + Infinitivo
> ya/todavía no

# GUÍA DEL OCIO

CASTILLO    DIABOLICO

## 1. GUÍA DEL OCIO

**A.** Aquí tienes una página de la *Guía del ocio* de una ciudad española. ¿Sabes de cuál? Lee las informaciones que contiene y, luego, en parejas, decidid cuál es el mejor lugar para cada una de las siguientes situaciones.

1. Queréis bailar hasta las 6h de la mañana.
2. Queréis ir a un museo, pero solo tenéis 4 euros cada uno.
3. Queréis ir al cine a ver una película en versión original.
4. Queréis ir a un karaoke.
5. Es la 1h de la madrugada de un sábado y os apetece cenar en un lugar tranquilo.
6. Son las 12h de la noche y os apetece tomar unas tapas.
7. Queréis hacer algo por la mañana y os encanta la pintura italiana.
8. Queréis ir al cine con un niño de 8 años.
9. Os apetece cenar fuera, pero no queréis gastar más de 15 euros.
10. Queréis tomar un cóctel en un local con historia.
11. Es domingo por la mañana y os apetece ir al cine a ver una película antigua.
12. Queréis escuchar música en directo.

- Para bailar toda la noche podemos ir a "La Vida Loca". Está abierto hasta las 6h de la mañana.
○ O también podemos ir a...

**B.** Fíjate en los horarios (días y horas) de la *Guía del ocio*. ¿Hay algo que te sorprende? ¿Es igual en tu país? Coméntalo con tu compañero.

- Aquí las discotecas cierran muy tarde.
○ Sí... Y en mi país los museos son gratuitos.

**C.** ¿Sabes qué horario tienen, aproximadamente, estos establecimientos en el lugar donde estás estudiando español? Coméntalo con tu compañero y preguntad al profesor lo que no sepáis.

| | |
|---|---|
| las discotecas | |
| los supermercados | |
| las oficinas de Correos | |
| los bancos | |
| los teatros | |
| los restaurantes | |
| las farmacias | |
| .......................... | |

- ¿A qué hora abren las discotecas?
○ Normalmente a partir de las doce de la noche.

---

## guía del ocio

### Bares y discotecas

**A viva voz.** Rocafort, 187. ☎ 93 419 40 81. Bar musical y karaoke (más de 5000 canciones en siete idiomas). ● A partir de las 20h.

**Cayo Largo Café.** Calle del Mar, 52. ☎ 93 464 38 85 / 93 205 80 70. Bar-restaurante. Ambiente relajado. ● Abierto todos los días de 19 a 24.30h. Fines de semana abierto hasta las 2.30h. P clientes.

**Flash-flash.** La Granada del Penedés, 25. ☎ 93 237 09 90. Bar musical y restaurante. $12-21 € ● De 13 a 2.30h.

**Boadas.** Tallers, 1 (Raval). ☎ 93 318 88 26. Coctelería (los mejores daiquiris de la ciudad). Local con historia. ● De 12 a 03.30h.

**Jamboree.** Plaza Real, 17. ☎ 93 301 75 64. ● De 23 a 5h. Bar musical y discoteca (pop y hip hop). Música en directo.

**Mirablau.** Plaza Dr. Andreu, s/n. ☎ 93 418 58 79. Bar (aperitivos y tapas) y discoteca. ● Abierto todos los días desde las 11.30 hasta las 24h. De 24 a 5h es discoteca.

**La Vida Loca.** Gran Vía, 770. ☎ 93 272 49 80. Discoteca. ● Abierto viernes, sábado y vísperas de festivos, de 24.30 a 6h.

**La terrrazza.** Avda. Marqués de Comillas, s/n. ☎ 93 272 49 80. Discoteca (música house, disco y tecno). Pista de baile al aire libre. ● Viernes, sábado y vísperas de festivo, de 24 a 6h. $ 15 € (consumición incluida).

**La Macarena.** Nou de Sant Francesc, 5. La mejor música electrónica en un antiguo tablao flamenco. ● Todos los días de 19 a 6h.

### Museos

**Museo Nacional de Arte de Cataluña (MNAC).** Palacio Nacional. ☎ 93 622 03 60. @ mnac.es ◆ España (L1 y L3). ● De martes a sábado, 10-19h. Domingos y festivos, 10-14.30h. $ 4,80 € (exposición permanente), 4,20 € (exposición temporal) y 6 € (entrada combinada: permanente + temporal). Primer jueves de mes, entrada gratuita. Visitas comentadas. PERMANENTE: muestra de arte románico catalán (pintura, escultura, orfebrería y esmalte). TEMPORAL: *La pintura gótica. Bartolomé Bermejo y su época.* 76 obras maestras que muestran la gran importancia de la pintura flamenca en la Corona de Aragón.

**Museo Thyssen-Bornemisza.** Bajada del Monasterio, 9. ◆ María Cristina (L3). ● De martes a domingo, 10-14h. $ 3,50€ (una exposición) y 5,50 € (dos o más exposiciones). Arte italiano desde finales del siglo XII hasta finales del siglo XVI y Renacimiento alemán.

**Museo Picasso.** Montcada, 15-23. ☎ 93 319 63 10. @museupicasso.bcn ◆ Jaume I (L4). ● De martes a sábado y festivos, 10-20h. Domingo, 10-15h. $ 5 €. La más importante colección de los períodos de formación de Picasso.

**Fundación Miró.** Parque de Montjuïc, s/n. ☎ 93 44 39 470 @ bcn.fjmiro.es ● De martes a sábado, de 10 a 19/20h, jueves, de 10 a 21.30h, domingos y festivos de 10 a 14.30h, lunes no festivos, cerrado. $ 7 €. Las obras más destacadas de Joan Miró.

### Cines

**Cines Meliés.** (2 salas). Villarroel, 102. ◆ Urgell (L1). $ 4 € excepto los lunes (día del espectador): 2,70 €. *Bananas.* (rep.) V.O.S. Pases: 16.30, 18.30, 20.30 y 22.30.

*Carmen.* (rep.) Pases: 16.30, 18.15, 20.30 y 22.30 .

**Glorias multicines.** (6 salas). Centro comercial Glorias. Avda. Diagonal, 208. ☎ 902 42 42 43. ◆ Glòries (L1). $ 5,30 € (lunes, martes y jueves), 5,60 € (de viernes a domingo), 4,20 € (miércoles, día del espectador).

*Todos los viernes y sábados, sesiones de madrugada en todas las salas a la 01.00h.*

*Monstruos* (apta). Pases: 18.00, 20.20 y 22.30.

*Matrix 3.* Pases: 16.30, 19.15 y 22.15.

*Toy Story* (apta). Pases: 16.00, 18.10, 20.25 y 22.50.

*Destino final 3.* Pases: 16.00, 18.10, 20.25 y 22.50.

*Jet lag.* Pases: 16.00, 18.10, 20.25 y 22.50.

*La mala educación.* Pases: 16.00, 18.10, 20.25 y 22.50.

**Casablanca.** (5 salas). Paseo de Gracia, 115. ◆ Diagonal. $ 4 € excepto los lunes (día del espectador): 2,70 €.

*Sábado y domingo, sesiones matinales en todas las salas a las 12.15h.*

*Ciudadano Kane.* Pases: 18.10, 20.30 y 22.50.

*Lo que el viento se llevó.* Pases: 16.30, 19.15 y 22.15.

*Viridiana.* Pases: 16.30, 19.00 y 21.30.

*Psicosis.* Pases: 16.30, 19.10 y 21.40.

*Gilda.* Pases: 16.30, 19.10 y 21.40.

# 2. DE VUELTA A CASA

**A.** A la vuelta de Semana Santa, unas personas nos han contado cómo han pasado estos días. Relaciona los comentarios con las fotos.

*Pedro y Araceli*

*Ruth y Anabel*

*Jaime, Lola y Vincent*

*Iván y Mireia*

**B.** Ahora vuelve a escuchar y completa el cuadro. Puede haber más de una opción.

| ■ ■ ■ | 1 | 2 | 3 | 4 |
|---|---|---|---|---|
| 1. Han ido en barco. | | | | |
| 2. Han comido muy bien. | | | | |
| 3. Han estado en museos. | | | | |
| 4. Han alquilado un coche. | | | | |
| 5. Han salido de noche. | | | | |
| 6. Han ido de compras. | | | | |
| 7. Han ido al teatro. | | | | |
| 8. Han visto un partido de baloncesto. | | | | |

**C.** Y vosotros, ¿qué cosas habéis hecho aquí en España hasta ahora?

- Yo he salido mucho de noche.
- Pues yo he comprado muchas cosas y he viajado por toda España.

**D.** Ahora haz una lista de los países, de las ciudades y de los monumentos que más te han gustado en tu vida. Luego, pregunta a tu compañero para ver si tenéis experiencias comunes.

- ¿Has estado en México?
- Sí, una vez.
- Y, ¿qué es lo que más te ha gustado?
- Chiapas.

## 3. UN ANUNCIO

**A.** Mira este anuncio. ¿Qué crees que anuncia? Coméntalo con tu compañero. El profesor tiene la solución.

Este año no ha tenido vacaciones.
Nunca ha llegado tarde a una reunión.
Ha sido dos veces el "empleado del año".
Este mes ha cogido más de seis aviones.
Esta semana ha tenido tres cenas de negocios.
Esta mañana ha escrito más de treinta correos electrónicos.
Esta tarde ha tomado dos aspirinas.
Hoy ha salido de la oficina a las 10 de la noche.
Y esta noche ha quedado para salir.

Por suerte, cuando llega a casa tiene... *BAÑOL*

• Yo creo que anuncia vitaminas.
○ No sé... Yo creo que...

**B.** Vuelve a leer el anuncio. ¿En qué tiempo verbal están las frases? ¿Qué marcadores temporales acompañan a este tiempo? Márcalos.

**C.** Y tú, ¿qué has hecho? Escríbelo y, luego, coméntalo con tus compañeros.

Este año  he ido muy pocas veces al cine.
Este mes .........................................................................
Esta semana ....................................................................
Esta mañana ....................................................................
Hoy ..................................................................................
Estos días ........................................................................
........................ dos veces ...............................................
Nunca ..............................................................................

• Este año he ido muy pocas veces al cine.
○ Pues yo he ido muchas veces, sobre todo este mes.

## 4. RECUERDOS DESDE CUBA

**A.** Bibi es una chica española que está de vacaciones en Cuba. Lee la postal que ha enviado a sus padres y decide si han sido unas vacaciones aburridas o divertidas.

¡Hola familia!
Después de unos días en Varadero ya hemos llegado a La Habana. Estamos morenísimas. Hemos tomado mucho el sol y hemos hecho submarinismo... ¡con tiburones!
Al final vamos a quedarnos aquí hasta el día 10 porque esto es increíble. Hemos conocido a unos chicos que nos están enseñando la ciudad. Mañana nos van a enseñar la Habana Vieja y este fin de semana vamos a ir a la Isla de la Juventud. Suena bien, ¿no?
Mami, finalmente he decidido que el año que viene voy a seguir en la Universidad. ¿Estás contenta?
Un besote a papá.
Bibi

**B.** Vuelve a leer la postal y completa el cuadro.

| Planes | ¿Cuándo?/¿Hasta cuándo? |
|---|---|
| Vamos a quedarnos aquí | hasta el día 10 |
|  |  |
|  |  |
|  |  |

**C.** En la columna de planes encontramos una estructura nueva. ¿Con qué verbo se construye? Escríbelo en la parte de arriba del cuadro. Luego, completa el cuadro.

|  | .................. | a | + Infinitivo |
|---|---|---|---|
| (yo) | ................. |  |  |
| (tú) | ................. |  |  |
| (él/ella/usted) | ................. |  | viajar |
| (nosotros/nosotras) | ................. | a | + correr |
| (vosotros/vosotras) | ................. |  | salir |
| (ellos/ellas/ustedes) | ................. |  |  |

**D.** Todos estos marcadores temporales pueden referirse al futuro. ¿Puedes ordenarlos cronológicamente?

pasado mañana    el año que viene    el 31 de diciembre    esta tarde    mañana    el mes que viene    el lunes que viene    dentro de dos años    esta noche    en Semana Santa

**E.** Y tú, ¿tienes algún plan para el futuro? Escríbelo y, luego, explícaselo a tu compañero.

• El año que viene voy a ir a trabajar a Chile.

## HABLAR DE HORARIOS

- ● ¿**A qué hora abre/cierra** el banco?
  ¿**A qué hora abren/cierran** los estancos?
  ¿**A qué hora empieza/acaba** la película?
  ¿**A qué hora empiezan/acaban** las clases?
  ¿**A qué hora llega/sale** el tren de Sevilla?
- ○ **A las** nueve/diez/once y media/...

- ● Está **abierto de** diez **a** una.
- ● Está **cerrado de** una **a** cinco.

## HABLAR DE EXPERIENCIAS EN EL PASADO: PRETÉRITO PERFECTO

| | Presente de **haber** | + | Participio |
|---|---|---|---|
| (yo) | **he** | | |
| (tú) | **has** | | visit**ado** |
| (él/ella/usted) | **ha** | + | com**ido** |
| (nosotros/nosotras) | **hemos** | | viv**ido** |
| (vosotros/vosotras) | **habéis** | | |
| (ellos/ellas/ustedes) | **han** | | |

- ● *He viajado por todo el mundo.*
- ○ *¡Qué suerte!*

Los participios irregulares más frecuentes son:

| | | | | | |
|---|---|---|---|---|---|
| ver | ➡ **visto** | poner | ➡ **puesto** | escribir | ➡ **escrito** |
| hacer | ➡ **hecho** | romper | ➡ **roto** | abrir | ➡ **abierto** |
| volver | ➡ **vuelto** | decir | ➡ **dicho** | descubrir | ➡ **descubierto** |

Usamos el Pretérito Perfecto cuando hablamos de experiencias pasadas utilizando marcadores temporales relacionados con el presente: **hoy, esta mañana, este mes, este fin de semana, este año, esta semana, esta noche, estos días**...

- ● *¿Qué **has hecho** hoy?*
- ○ *Pues esta mañana **he ido** al médico y...*

También usamos el Pretérito Perfecto para hablar de experiencias, pero sin mencionar cuándo se han realizado. En este caso, usamos expresiones como **alguna vez, varias veces, nunca**...

- ● *¿**Has estado** alguna vez en Roma?*
- ○ *¿En Roma? Sí, (**he estado**) dos veces.*

## DESCRIBIR LUGARES

**con**
una playa **con** poca gente
un local **con** música en directo

**donde**
un lugar **donde** se puede hacer deporte
un bar **donde** hay buena música

## YA/TODAVÍA NO + PRETÉRITO PERFECTO

Usamos **ya** cuando nos referimos a una acción cuya realización esperamos o creemos posible.

- ● ¿**Ya** habéis estado en Madrid?
- ○ Sí, **ya** hemos estado.

Con **todavía no** expresamos que una acción no se ha producido en el pasado, pero que puede ocurrir en el futuro.

- ● ¿Ya habéis visto La Giralda?
- ○ Sí, yo sí.
- ■ Yo **todavía no**.

- ● ¿Ya habéis probado la paella?
- ○ No, **todavía no**.

## HABLAR DE INTENCIONES Y PROYECTOS

| | ir | a + | Infinitivo |
|---|---|---|---|
| (yo) | **voy** | | |
| (tú) | **vas** | | **cenar** |
| (él/ella/usted) | **va** | **a** + | **ir** a Málaga |
| (nosotros/nosotras) | **vamos** | | **tomar** una copa |
| (vosotros/vosotras) | **vais** | | |
| (ellos/ellas/ustedes) | **van** | | |

- ● *¿Qué **vais a** hacer el sábado por la noche?*
- ○ *Seguramente **vamos a** ir a casa de Pedro.*

Para referirnos al futuro, podemos usar los siguientes marcadores temporales.

**esta tarde/noche/...**
**este jueves/viernes/sábado/fin de semana/...**
**mañana**
**pasado mañana**
**dentro de** un año/dos meses/tres semanas/...
**el lunes/mes/año/... que viene**

También podemos usar el Presente de Indicativo para hablar de intenciones y de proyectos.

- ● *Mañana **cenamos** en casa de Alicia.*

## 5. TODA UNA VIDA

**A.** Aquí tienes una lista de hechos que pueden darse en la vida de una persona. ¿Entiendes todas las palabras? Pregúntale a tu compañero las que no entiendas.

jubilarse    estudiar en un país extranjero

enamorarse    divorciarse    montar un negocio    tener hijos

casarse    aprender a ir en bicicleta    acabar los estudios

ser famoso/a    comprar una casa    dar la vuelta al mundo

aprender a tocar un instrumento    ir a la Universidad

escribir un libro    plantar un árbol    vivir solo/a

**B.** De la lista anterior, anota en tu cuaderno cosas que has hecho, cosas que estás haciendo en la actualidad, cosas que vas a hacer muy pronto y cosas que crees que no vas a hacer nunca.

**C.** Ahora coméntalo con tu compañero. Luego, explica a la clase lo que más te ha sorprendido.

- Rubi se ha casado tres veces.

## 6. MI LOCAL FAVORITO

**A.** ¿Cómo es tu local favorito en tu país? ¿Y aquí en España? Completa la ficha.

|  | EN TU PAÍS | EN ESPAÑA |
|---|---|---|
| 1. ¿Dónde está? |  |  |
| 2. ¿A qué hora abre? |  |  |
| 3. ¿A qué hora cierra? |  |  |
| 4. ¿Qué se puede hacer? |  |  |
| 5. ¿Va mucha gente? |  |  |
| 6. ¿Cuándo vas? |  |  |
| 7. ¿Por qué te gusta? |  |  |

**B.** Ahora explícaselo a tus compañeros.

- Mi local favorito en Suecia es una discoteca que se llama "Ebba". Está en Estocolmo y...

## 7. UNA BUENA DISCOTECA

**A.** ¿Quién de vosotros conoce mejor la ciudad en la que estamos? Piensa en los lugares que conoces e intenta completar el cuadro de la derecha.

**B.** Ahora coméntalo con tus compañeros.

- Yo conozco una discoteca con muy buena música.
- ¿Y dónde está?
- Cerca del puerto.

**C.** ¿Has descubierto algo nuevo? De los lugares que conocen tus compañeros, decide a cuál quieres ir y cuándo. Explícaselo a la clase.

- Creo que voy a ir a Pachá este fin de semana. Susan ha estado y dice que la música es muy buena.

|  | Nombre | ¿Dónde está? |
|---|---|---|
| 1. Una discoteca con buena música. | Pachá | Cerca del puerto |
| 2. Un bar donde puedes conectarte a Internet. |  |  |
| 3. La terraza donde se liga más. |  |  |
| 4. El parque más tranquilo. |  |  |
| 5. Un lugar donde se puede hacer deporte. |  |  |
| 6. Una tienda con ropa muy barata. |  |  |
| 7. Un bar donde puedes hacer los deberes. |  |  |
| 8. Una biblioteca agradable. |  |  |
| 9. Una playa donde puedes bañarte desnudo/a. |  |  |
| 10. Una buena tienda de discos. |  |  |
| 11. Un pueblo con encanto. |  |  |
| 12. Un gimnasio con una buena piscina. |  |  |
| 13. Un bar con buenas tapas. |  |  |
| 14. Una excursión que vale la pena. |  |  |

# 8. GUÍAS TURÍSTICOS

**A.** Aquí tenéis un artículo sobre Sevilla. En grupos de tres, imaginad que sois guías turísticos y que tenéis que preparar actividades para un día en Sevilla para uno de los siguientes grupos de turistas.

- Un grupo de jubilados.
- Un grupo de 35 estudiantes de 18 años.
- Una familia con chófer.
- Una pareja que está de luna de miel.
- Un grupo de niños de 10 a 14 años.

# SEVILLA
## LA CAPITAL DEL TAPEO

## TAPAS

Para comer tapas, es recomendable empezar en el **centro** de Sevilla alrededor del mediodía. Destacan **El rinconcillo**, la taberna más antigua de la ciudad, **La bodeguita Romero**, famosa por su exquisita "pringá", y **La alicantina**, al lado de la hermosa Iglesia del Salvador. En **Triana** podemos comer tapas en **Casa Cuesta**, **La blanca paloma** o **Casa Manolo**. Recomendamos acabar el día en **La Alameda**, un barrio situado cerca del centro que se está convirtiendo en la zona más "chic" de la nueva Sevilla.

## DÓNDE COMER

**Poncio** (Victoria, 8). Cocina de autor.
**Kiosco de las flores** (Betis, s/n). El templo del "pescaíto frito". Todo un clásico.
**Casablanca** (Zaragoza, 50). Famoso mundialmente por sus tapas.
**Casa Robles** (Álvarez Quintero, 58). Uno de los escenarios de lujo de la vida social sevillana.

## VARIOS

**Cuentacuentos y animaciones a la lectura.** (C/ Feria, 121). Ideal para que el niño se familiarice con los libros. Todos los días a partir de las 18h.
**XXIII Feria Internacional del títere de Sevilla.** (C/ Crédito, 11). Espectáculos de marionetas y títeres en el Teatro Alameda.
**Isla Mágica.** Parque de atracciones situado no muy lejos del centro de la ciudad.

## EXCURSIONES

**Crucero de 1 hora por el Guadalquivir.** Visitas comentadas.
**Ruta de 3 horas por el casco antiguo.** Visitas comentadas.
**Córdoba.** Salida a las 8h y llegada a las 3h. Visitas comentadas a: la Mezquita, el Alcázar, la Sinagoga y Medina Al-Zahara.
**Sierra Norte.** Salida a las 8h y llegada a las 2h. Parque natural situado al norte de la provincia de Sevilla. Visitas guiadas. Las

Cálida, abierta y hospitalaria, Sevilla es una explosión de color en primavera. La Feria de Abril puede ser la excusa ideal para descubrir la luz de sus días y perderse en la magia de sus noches.

## LO IMPRESCINDIBLE

El casco antiguo de Sevilla es el más grande de Europa. Es imprescindible visitar la **catedral**, la mayor construcción religiosa de España, subir a la **Giralda**, perderse por el **barrio de Santa Cruz**, observar la **torre del Oro,** dar un paseo por la **calle Sierpes**, el mejor lugar para hacer sus compras en Sevilla, y recorrer el **parque de María Luisa** y la Plaza de España. No se puede dejar Sevilla sin cruzar el río y pasear por **Triana**. Hay que visitar también al **museo de Bellas Artes**, con las obras más importantes de Zurbarán y de Murillo.

## LAS MEJORES COPAS

Es imprescindible probar el "tinto de verano", un cóctel hecho a base de vino tinto, gaseosa y limón.
**Latino** (Plaza de Chapina). Una terraza junto al río con marcha hasta el amanecer.
**Chile** (Paseo de las Delicias, s/n). Punto de encuentro de universitarios y treintañeros.
**Café de la prensa** (Betis, 8). Un café con solera al pie del puente de Triana.
**Picalagartos** (Hernando Colón, 7). Un glamuroso café ideal para los visitantes más sofisticados.
**Catedral** (Cuesta del Rosario). Pequeño club con *tecno* y *house* de calidad.

## FLAMENCO

**El tamboril.** (Plaza Santa Cruz, s/n). Flamenco en vivo a partir de medianoche.
**El palacio andaluz.** (Avda. Mª Auxiliadora, 18). Espectáculo y cena. En pleno centro.

actividades en la zona incluyen pesca, caza, deportes acuáticos y escalada.
**Tarifa.** Salida a las 7h y llegada a las 3h. Excursión para ver ballenas y delfines.
**Doñana.** Salida a las 8h y llegada a las 3h. Parque natural situado entre las provincias de Huelva, Sevilla y Cádiz. Las actividades en la zona incluyen paseos a caballo, tenis, cicloturismo y observación de aves.

**B.** Ahora vais a presentar vuestra propuesta al resto de la clase. Tenéis que justificarla teniendo en cuenta los posibles gustos de vuestro grupo de turistas, los precios, los horarios, etc.

- Nosotros hemos preparado un día para una pareja que está de luna de miel. Por la mañana vamos a ir a...

## 9. TIEMPO LIBRE

**A.** ¿Sabes a qué dedican los españoles su tiempo libre? Completa la primera parte del cuadro y, luego, coméntalo con tus compañeros.

| Los españoles... | ANTES DE LEER | | DESPUÉS DE LEER | |
|---|---|---|---|---|
| | V | F | V | F |
| 1. dedican poco tiempo a actividades de ocio. | | | | |
| 2. gastan mucho dinero en grandes viajes. | | | | |
| 3. quedan mucho con amigos y familiares. | | | | |
| 4. no hacen mucho deporte. | | | | |
| 5. pasan muchas horas delante del ordenador. | | | | |
| 6. pasan mucho tiempo en bares y restaurantes. | | | | |
| 7. tienen pocos días de vacaciones. | | | | |
| 8. normalmente tienen vacaciones en verano. | | | | |

**B.** Aquí tienes un artículo que habla de los hábitos de ocio de los españoles. Léelo y comprueba tus hipótesis anteriores.

# ¿A qué dedican los españoles su tiempo libre...

# si lo tienen?

**Según un estudio reciente, solo un 13,2% de los españoles prefiere tener más horas de ocio que de trabajo. No gastan mucho dinero en viajes y prefieren pasar su tiempo libre con familiares y amigos en su propia ciudad.**

### Ocio o trabajo
La mayoría de los españoles dedica más horas a trabajar que a realizar actividades de ocio. El estudio desmiente por completo el tópico de que los españoles solo piensan en divertirse.

### Lo más y lo menos deseado
Entre todas las actividades de ocio, los españoles prefieren por este orden: quedar con amigos o con familiares, hacer actividades relacionadas con el cuerpo y la salud, comer bien, llevar a cabo actividades de tipo cultural, ir a la playa e ir de excursión a la montaña. Como actividades menos interesantes, consideran hacer deportes de aventura, pasar horas delante del ordenador y hacer cosas relacionadas con la formación personal.

### El motor del ocio
Para los españoles una actividad de ocio tiene que ser entretenida, creativa y debe permitir relacionarse con otras personas. De ahí la importancia de los bares y de los restaurantes como lugares de encuentro social. El español va a un bar no solo a tomar algo sino a estar con los demás.

### Vacaciones
Según la ley, los españoles tienen derecho a un mes de vacaciones al año. El estudio revela que un 28,6% de los españoles no tuvo ni un día de vacaciones el año pasado. Entre los que sí tuvieron vacaciones, el 56,8% las tuvo en los meses de verano. Los españoles, además, no suelen hacer grandes viajes. Muchos prefieren quedarse en su ciudad y estar con la familia o con amigos.

**C.** En grupos de tres, comentad cómo creéis que sería esta información referida a vuestros países. ¿Es muy diferente? Elaborad un informe.

# 6

## NO COMO CARNE

**En esta unidad vamos a**
**preparar el bufé para una fiesta**
**con toda la clase**

**Para ello vamos a aprender:**
> a hablar de gustos y de hábitos alimentarios
> los pronombres personales de OD
> las formas impersonales con *se*
> pesos y medidas
> y/pero/y además

## 1. COMO DE TODO

**A.** Aquí tienes las ofertas de la semana de una cadena de supermercados. ¿Conoces todos los productos? ¿Existen en tu país?

**lácteos**

Leche
cartón de 1 litro
0,80 €

Yogures
de diferentes sabores
pack de 8
2 €

Queso
manchego
250 g
4 €

Mantequilla
200 g
2 €

**huevos y carne**

Huevos
1 docena
1,40 €

Bistec
de ternera
300 g
4 €

**pan, galletas y pasta**

Galletas
paquete de 800 g
1,42 €

Pan
1 barra
0,99 €

Tortellinis
paquete de 250 g
1,99 €

Magdalenas
bolsa de 300 g
2,50 €

**fruta y verdura**

Patatas
bolsa de 2 kg
3 €

Manzanas
1 kg
1,40 €

Lechuga
1 €

Melocotones
1 kg
2,80 €

Tomates
1 kg
2,30 €

**otros**

Cerveza
lata de 33 cl
0,39 €

Azúcar
paquete de 1 kg
1,20 €

Arroz
paquete de 1/2 kg
1,70 €

Berberechos
lata de 120 g
2 €

Café
paquete de 1/4 kg
2,50 €

**limpieza**

Lejía
600 ml
1,59 €

Detergente
paquete de 1,5 kg
5,50 €

**B.** ¿Consumes normalmente los productos de la página anterior? Completa el cuadro.

| a menudo o muy a menudo | de vez en cuando | nunca o casi nunca |
|---|---|---|
|  | huevos |  |
|  |  |  |

**C.** Ahora coméntalo con tu compañero.

- Yo como de todo, pero la fruta no me gusta mucho.
- Pues yo nunca uso lejía.

**D.** ¿Hay otras cosas que no comes o que no bebes nunca? Coméntalo con tu compañero.

- Yo no como pescado, soy alérgico.

# 2. VEGETARIANOS

**A.** ¿Sabes qué comen y cómo piensan los vegetarianos más estrictos? Lee estas afirmaciones y, en parejas, marcad si os parecen verdaderas (V) o falsas (F).

| ■ ■ ■ | V | F |
|---|---|---|
| 1. Los vegetarianos más estrictos no beben leche. |  |  |
| 2. No toman azúcar, pero sí miel. |  |  |
| 3. No usan ropa de lana. |  |  |
| 4. Piensan que ser vegetariano es más saludable. |  |  |
| 5. Creen que ayudan a acabar con el hambre en el mundo. |  |  |
| 6. Creen que comer carne es malo para el medio ambiente. |  |  |
| 7. No consumen ningún tipo de proteínas. |  |  |
| 8. Consumen frutos secos: nueces, almendras... |  |  |

**B.** Ahora leed este artículo y comprobad vuestras respuestas del apartado A.

# vegetarianos estrictos

Existen varios tipos de vegetarianos. Los más estrictos son los llamados "veganos". Los vegetarianos "veganos" no comen carne, pescado, lácteos, huevos, miel, ni otros productos de origen animal. Tampoco compran productos de origen animal fabricados con lana o con piel. Dicen que, además de ser el estilo de vida más sano que existe, el vegetarianismo ayuda a acabar con el hambre en el mundo, a proteger el medio ambiente y a mejorar la calidad de vida de todo el planeta. ¿Por qué?

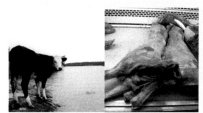

**LOS ANIMALES**
Los animales utilizados para producir carne, leche y huevos viven, en general, en muy malas condiciones.

**EL HAMBRE**
En la Tierra se crían 1300 millones de animales, que ocupan casi el 24% del planeta. Estos animales consumen enormes cantidades de cereales y de agua, necesarias para alimentar a millones de humanos.

**LA SALUD**
Una dieta a base de fruta, verdura, cereales y legumbres es ideal para mantener el cuerpo limpio y sano.

**¿QUÉ COME UN VEGETARIANO ESTRICTO?**
Además de frutas frescas y verduras, come cereales, pasta, pan, patatas, legumbres, arroz, frutos secos, leche de soja, tofu y otros productos hechos a base de proteína vegetal. Estos alimentos aportan todos los elementos que necesita el cuerpo humano.

**C.** ¿Conoces a algún vegetariano? ¿Es estricto? Explícaselo a tus compañeros.

- Yo conozco a un vegetariano, pero creo que no es estricto porque...

## 3. COCINA FÁCIL

**A.** Imagina que unos amigos te invitan esta noche a cenar a su casa y que quieres llevar algo de comer. Aquí tienes tres platos muy fáciles de preparar. ¿Cuál es el más fácil? ¿Cuál vas a preparar?

### MELÓN CON JAMÓN

Ingredientes para 6 personas: un melón grande y doce lonchas finas de jamón serrano de buena calidad. Preparación: se abre el melón (tiene que estar maduro), se sacan las semillas y se corta en doce trozos. Se colocan dos trozos en cada plato y se pone una loncha de jamón encima de cada trozo.

### TABLA DE QUESOS Y EMBUTIDOS

Ingredientes para 8 personas: 250 g de queso manchego, 200 g de queso de cabra, 200 g de queso de Burgos, 200 g de jamón serrano, 200 g de chorizo y 200 g de salchichón. Preparación: se corta el queso en dados no muy grandes y se coloca en el centro de un plato (también se puede usar una tabla de madera). Alrededor del queso se colocan el jamón, el chorizo y el salchichón.

### GUACAMOLE CON NACHOS

Ingredientes para 6 personas: dos aguacates, un tomate, dos cucharadas de cebolla picada, una cucharadita de ajo picado, uno o dos chiles picados, un poco de zumo de limón, sal y una bolsa de nachos. Preparación: se pelan los aguacates, se colocan en un recipiente y, con un tenedor, se aplastan hasta obtener un puré. Se pela el tomate, se quitan las semillas, se corta en trocitos pequeños y se añade al puré. Luego, se añaden la cebolla picada, el ajo, los chiles, el zumo de limón y la sal. Se acompaña con nachos.

**B.** Marca en las recetas la palabra **se** y fíjate en la forma verbal que hay a continuación. A veces es la tercera persona del singular y a veces la tercera del plural. ¿Cuándo crees que se usa una y cuándo la otra?

## 4. ¡MAMÁ!

**A.** Flora es una gran cocinera y sus hijos siempre le piden consejos. En las siguientes conversaciones hay una serie de palabras en negrita. Son los pronombres de objeto directo (OD) **lo**, **la**, **los** y **las**. Los usamos para no repetir un sustantivo. Marca a qué sustantivo hacen referencia en cada caso.

1. ● Mamá, ¿cómo haces los huevos fritos tú? Te quedan tan ricos…
   ○ Pues mira, **los** frío con bastante aceite, pero tengo un truco: siempre echo un diente de ajo. Cuando el ajo está dorado, **lo** saco y…

2. ● Mamá, estas lentejas están buenísimas. ¿Cómo **las** has hecho?
   ○ **Las** he tenido toda la noche en remojo y…

3. ● Mamá, ¿cómo puedo hacer la pasta?
   ○ Bueno, yo siempre **la** hiervo con una hoja de laurel y…

**B.** Completa estas frases con un pronombre de OD.

1. ● ¿Cómo has hecho estas verduras? Están muy buenas.
   ○ ..................... he hecho al vapor.

2. ● ¡Qué pan tan rico! ¿De dónde es?
   ○ ..................... he comprado en la panadería de abajo.

3. ● ¿Dónde están los plátanos?
   ○ ..................... he guardado en el frigorífico.

4. ● ¿Has preparado la ensalada?
   ○ Sí, ..................... he dejado allí encima, mira...

**C.** ¿Tú cocinas? ¿Tienes algún truco? Cuéntaselo a tus compañeros.

## 5. Y ADEMÁS...

**A.** Lee estas dos frases. Las palabras marcadas en negrita son conectores. ¿Entiendes qué significan?

Este restaurante es muy bueno, **y además** no es muy caro.
Este restaurante es muy bueno, **pero** es muy caro.

**B.** Ahora marca la opción más lógica en cada una de estas frases: **y además** o **pero**.

1. ● Mi hermana Carmen es muy guapa, **y además/pero** es muy simpática.

2. ● Su hermano es muy guapo, **y además/pero** es un poco antipático.

3. ● Mi profesor es muy bueno, **y además/pero** tiene mucha paciencia.

4. ● Su profesora es muy buena, **y además/pero** tiene muy poca paciencia.

5. ● He encontrado una casa preciosa, **y además/pero** es muy barata.

6. ● He encontrado un piso muy bonito, **y además/pero** es muy caro.

7. ● Martina es vegetariana, **y además/pero** a veces come pescado.

8. ● A Adela no le gusta la fruta, **y además/pero** come una manzana al día.

# FORMAS IMPERSONALES

## SE + 3ª PERSONA

- En este restaurante **se come** muy bien.
- Primero, **se lavan** y **se pelan** las frutas, y luego...

| | | |
|---|---|---|
| lavar | ➡ | se lava/n |
| congelar | ➡ | se congela/n |
| pelar | ➡ | se pela/n |
| echar | ➡ | se echa/n |
| sacar | ➡ | se saca/n |
| cortar | ➡ | se corta/n |
| calentar | ➡ | se cal**ie**nta/n |
| asar | ➡ | se asa/n |
| cocer | ➡ | se **cue**ce/n |
| hacer | ➡ | se hace/n |
| freír | ➡ | se fr**í**e/n |

## 2ª PERSONA DEL SINGULAR

- Mira, pon**es** aceite en una sartén, luego ech**as** un diente de ajo…

¿Cómo se hace el gazpacho?

Es muy fácil, coges unos tomates bien maduros...

# CONECTORES: Y/PERO/Y ADEMÁS

Los conectores sirven para enlazar frases y para expresar las relaciones lógicas de una frase con otra.

**Y** añade un segundo elemento sin dar ningún matiz.

- Es una ciudad muy bonita **y** muy moderna.

**Pero** añade un segundo elemento que consideramos contrapuesto al primero.

- Es una ciudad muy bonita, **pero** el clima es horrible.

**Y además** añade un segundo elemento que refuerza la primera información.

- Es una ciudad muy bonita, **y además** la gente es muy simpática.

# PRONOMBRES PERSONALES DE OBJETO DIRECTO

Los pronombres personales de Objeto Directo (**lo**, **la**, **los**, **las**) aparecen cuando, por el contexto, ya está claro cuál es el Objeto Directo de un verbo y no lo queremos repetir.

| | singular | plural |
|---|---|---|
| masculino | **lo** | **los** |
| femenino | **la** | **las** |

- ¿Dónde está la miel?
- ○ **La** he guardado en el armario.

- ¿Dónde está el queso?
- ○ **Lo** he puesto en el frigorífico.

- ¿Son buenas las manzanas?
- ○ No sé, todavía no **las** he probado.

- ¿Tienes aquí tus libros de cocina?
- ○ No, **los** he dejado en casa de mi madre.

Los usamos también cuando el Objeto Directo está delante del verbo, para contrastarlo con otros objetos.

- La pasta siempre **la** hago con un poco de mantequilla, en cambio, el arroz, **lo** hago con aceite de oliva.
- El pescado **lo** he hecho yo, ¿os gusta?

Pero no los usamos cuando el Objeto Directo no lleva determinantes.

- ¿Esta tortilla lleva Ø cebolla?
- ○ No, no Ø lleva.

# SER/ESTAR

Para hacer una descripción o una valoración de algo usamos el verbo **ser**.

- El queso extremeño **es** excelente.

Pero para comentar una experiencia directa, usamos **estar**.

- ¡Qué bueno **está** este queso!
- ¡Esta sopa **está** muy caliente!

# PESOS Y MEDIDAS

1 kg (**un kilo**) **de** arroz
1/2 kg (**medio kilo**) **de** azúcar
1/4 kg (**un cuarto de kilo**) **de** café
200 g (**gramos**) de harina
1 l (**un litro**) **de** aceite
1/2 l (**medio litro**) de agua

## 6. LAS PATATAS SE LAVAN...

**A.** Relaciona los verbos con las ilustraciones.

cocer

hacer a la plancha

pelar

asar

cortar

calentar

congelar

echar

lavar

freír

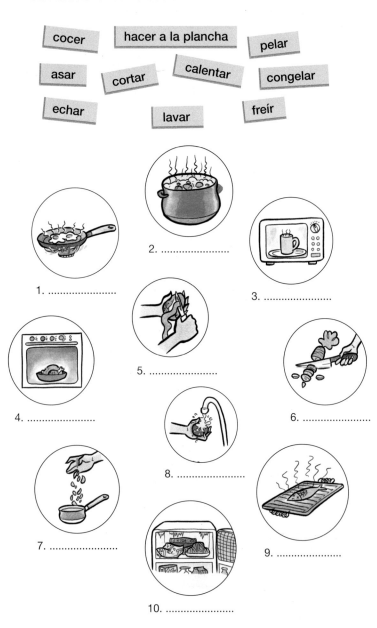

1. ....................

2. ....................

3. ....................

4. ....................

5. ....................

6. ....................

7. ....................

8. ....................

9. ....................

10. ....................

**B.** ¿Qué se hace normalmente con estos productos? Escríbelo y, después, coméntalo con tu compañero.

| | | |
|---|---|---|
| las patatas | el pescado | el melón |
| las naranjas | la carne | la leche |
| el arroz | los huevos | la pasta |

- Las patatas se lavan y se pelan. Se pueden freír, se pueden asar, pero nunca se hacen a la plancha, ¿verdad?
○ No, creo que no.

## 7. LA COMPRA DE REBECA

**A.** Rebeca acaba de llegar del supermercado. ¿Puedes identificar los productos que ha comprado? En parejas, escribid frases diciendo dónde ha puesto las cosas: en el frigorífico o en el armario.

| | |
|---|---|
| **lo** | |
| **la** | ha guardado/metido en el frigorífico/armario |
| **los** | |
| **las** | |

La leche, la ha guardado en el frigorífico.

**B.** Ahora vais a agruparos con otra pareja. Cada pareja dice una frase y la otra tiene que adivinar de qué se trata. Pero cuidado: no podéis decir el nombre de la cosa sino que tenéis que usar los pronombres de OD.

- Las ha guardado en el frigorífico.
○ ¿Las peras?
- No.
○ ¿Las manzanas?

# 8. LA DIETA DE SILVIA

**A.** Esta es Silvia Sastre, una modelo española de 24 años. ¿Qué crees que hace para mantenerse en forma? ¿Cuáles de las cosas de la lista crees que come? ¿Cuáles no? Escríbelo en el cuadro.

| verdura | sushi | carne a la plancha |
| marisco | piña | pescado a la plancha |
| tarta | chocolate | hamburguesas |
| lasaña | pan integral | pan blanco |

| Come | No come |
| --- | --- |
|  |  |

**B.** Ahora vas a escuchar una entrevista en la que Silvia cuenta cómo se mantiene en forma. Escucha y comprueba tus hipótesis. (CD 8)

**C.** ¿Y tú? Cuando quieres cuidarte, ¿qué haces? ¿Qué no comes? ¿Qué sí?

- Yo, cuando quiero cuidarme, no como chocolate.

# 9. UNA COMIDA FAMILIAR

**A.** ¿Cómo son las comidas familiares en tu casa? Explícaselo a tus compañeros. Cuenta qué cosas son típicas en tu país en este tipo de encuentros. Aquí tienes algunas ideas.

- (No) se toma un aperitivo.
- Se come mucho/bastante/poco.
- (No) se puede fumar durante la comida.
- Se bebe cerveza/agua/champán/vino/...
- (No) se toma café después de la comida.
- Antes de los dulces, se come queso.
- (Nunca) se pone la tele/música.
- Después de la comida, nos quedamos sentados mucho tiempo/damos un paseo/...
- Se canta/baila.

- En mi casa, en las comidas familiares normalmente se come mucho, se toma un buen vino...

**B.** ¿Cómo crees que son las comidas familiares en España? Coméntalo con tus compañeros.

- En España, el queso normalmente se come antes de la comida, como aperitivo. En Francia siempre lo comemos al final.
○ Sí, es verdad y...

# 10. LA CENA DE LA CLASE

**A.** Hoy vais a preparar un bufé para la clase. Vais a organizaros en parejas. Cada pareja tiene que preparar tres platos. Decidid, primero, qué platos; qué ingredientes llevan y cómo se preparan.

**B.** Ahora vais a presentar los tres platos a vuestros compañeros. Ellos os van a hacer preguntas. Al final, entre todos vais a elegir los mejores platos, aquellos que gustan a la mayoría.

- Nosotros vamos a preparar "gravad lax". Es un plato típico sueco. Es salmón crudo: se deja unos días con sal, azúcar y una hierba que no sé cómo se llama en español...
○ ¿Lleva vinagre?
- No.
■ Mmm... A mí no me gusta el salmón...

**C.** Ahora tenéis que hacer la lista de la compra. Tened en cuenta cuántos sois.

- Tenemos que comprar salmón para el "gravad lax". 500 gramos es suficiente, ¿no?
○ No sé, somos siete...

# 11. DENOMINACIÓN DE ORIGEN

**A.** ¿Vas a comprar algún producto español para llevarlo a tu país? ¿Cuál? ¿Es de denominación de origen? Si no sabes qué es, lee este texto.

**B.** Mira el mapa. ¿Hay algún producto con denominación de origen en el lugar donde estudias español? ¿Lo conoces? ¿Existen las denominaciones de origen en tu país? Coméntalo con tus compañeros.

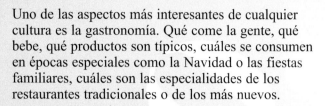

Uno de las aspectos más interesantes de cualquier cultura es la gastronomía. Qué come la gente, qué bebe, qué productos son típicos, cuáles se consumen en épocas especiales como la Navidad o las fiestas familiares, cuáles son las especialidades de los restaurantes tradicionales o de los más nuevos.

La mejor manera de saber cuáles son los productos más típicos y de mejor calidad en España es conocer las denominaciones de origen. Las denominaciones de origen son la garantía de que un producto típico, como un vino (el vino de Rioja, por ejemplo) o un queso, están hechos de manera tradicional, en una región determinada y siguiendo estrictos criterios de calidad.

Actualmente en España hay muchas denominaciones de origen: de vinos, aceites, quesos, frutas, verduras, turrones, arroces, carnes, etc. Los productos con denominación de origen son, en general, algo más caros que los que no llevan esta distinción, pero casi siempre vale la pena pagar un poco más y tener la seguridad de llevarse a casa un producto de calidad.

queso Cabrales

QUESO IDIAZABAL
16'65 P.V.P. €UROS KILO.
queso Idiazabal

espárragos de Navarra

cava

mejillón de Galicia

CORDERO 8'11 P.V.P. KILO €UROS
cordero de Castilla y León

sobrasada de Mallorca

jamón de Extremadura

melocotón de Calanda

jerez

aceite de Sierra Mágina

arroz de Calasparra

queso manchego

naranjas de Valencia

# 7

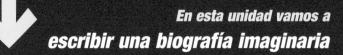

En esta unidad vamos a
**escribir una biografía imaginaria**

# UNA VIDA
# DE PELÍCULA

*Para ello vamos a aprender:*
*> a relatar y a relacionar acontecimientos pasados*
*> a hablar de la duración*
*> la forma y algunos usos del Pretérito Indefinido*
*> marcadores temporales para el pasado*
*> empezar a + Infinitivo*
*> ir/irse*

## 1. CINEMANÍA

**A.** Aquí tienes una serie de informaciones sobre la historia del cine. Pero atención: algunas son falsas. ¿Cuáles? Coméntalo con tu compañero. Vuestro profesor tiene las soluciones.

1. Los hermanos Lumière inventaron el cinematógrafo (el primer proyector de cine) y proyectaron la primera película el 28 de diciembre de 1895.
2. Pedro Almodóvar recibió un Oscar a la mejor película extranjera por *Todo sobre mi madre* en 2000 y otro, al mejor guión original por *Hable con ella* en 2003.
3. En los años 50, Marilyn Monroe hizo varias películas en Madrid.
4. Halle Berry fue la primera mujer negra que ganó un Oscar a la mejor actriz.
5. Alfred Hitchcock, el maestro del suspense, no consiguió nunca un Oscar al mejor director.
6. *Toy Story* fue el primer largometraje realizado en su totalidad por ordenador.
7. Ava Gardner estuvo en España en 1951 y tuvo un romance con el torero Luis Miguel Dominguín.
8. El director de cine japonés Akira Kurosawa dirigió *2001: Una odisea en el espacio*.
9. Federico Fellini nació en España en 1920.
10. Las tres películas de la trilogía de *El señor de los anillos* se filmaron al mismo tiempo en Nueva Zelanda.

- Los hermanos Lumière inventaron el cine...
○ Yo creo que es verdad, pero no sé cuándo proyectaron la primera película.
- Yo tampoco.

**B.** ¿Qué sabes del cine español o del latinoamericano? ¿Conoces a algún director, a algún actor o a alguna actriz españoles o latinoamericanos? Coméntalo con tus compañeros.

- A mí me gusta bastante el cine, pero no sé casi nada del cine español ni del cine latinoamericano.
○ Yo conozco a Pedro Almodóvar y a Antonio Banderas...

## 2. PEDRO ALMODÓVAR

**A.** Pedro Almodóvar es probablemente el director de cine español más conocido internacionalmente. ¿Qué sabes de él? ¿Has visto alguna de sus películas? Coméntalo con tus compañeros. Después, lee el texto.

● Yo he visto "Todo sobre mi madre".
○ Yo también, es muy buena.

### DATOS PERSONALES
**Fecha de nacimiento:** 24/09/1951
**Lugar de nacimiento:** Calzada de Calatrava (Ciudad Real)
**Horóscopo:** Libra
**Color de ojos:** marrones
**Color del cabello:** castaño

### CURIOSIDADES
- Le gustan mucho las tapas.
- Su madre participó como actriz en varias de sus películas.
- Es muy exigente con los decorados de sus películas y elige personalmente todos los detalles, incluso la tela de un sofá.
- Su casa está llena de fotos antiguas de su padre y de su madre.

### FILMOGRAFÍA
- *Pepi, Luci, Bom y otras chicas del montón* (1980)
- *Laberinto de pasiones* (1982)
- *Entre tinieblas* (1983)
- *¿Qué he hecho yo para merecer esto?* (1984)
- *Matador* (1985)
- *La ley del deseo* (1986)
- *Mujeres al borde de un ataque de nervios* (1988)
- *Átame* (1990)
- *Tacones lejanos* (1991)
- *Kika* (1993)
- *La flor de mi secreto* (1995)
- *Carne trémula* (1997)
- *Todo sobre mi madre* (1999)
- *Hable con ella* (2002)
- *La mala educación* (2004)

**B.** Ahora, en grupos, después de leer el texto y sin mirarlo, vais a intentar recordar los datos más importantes de la vida de Pedro Almodóvar. Escribidlo.

En 1951 .................................................................
A los 8 años ...........................................................
En Madrid ..............................................................
En 1980 .................................................................
En 1989 .................................................................
En 2000 .................................................................
En 2003 .................................................................
Actualmente ..........................................................

# Pedro ALMODÓVAR

**El director de cine Pedro Almodóvar es el cineasta español de más éxito internacional. Su obra destaca por el colorido de sus decorados y por la capacidad de crear una galería de personajes excéntricos y entrañables.**

Pedro Almodóvar Caballero nació en 1951 en Calzada de Calatrava (Ciudad Real). A los 8 años se fue a vivir con su familia a Cáceres. En esta ciudad extremeña estudió hasta los 16 años.

A mediados de los 60 se trasladó a Madrid, donde trabajó como administrativo en la Compañía Telefónica. En esa época, Pedro empezó a colaborar en diferentes revistas *underground*, escribió relatos, formó parte del grupo punk Almodóvar y McNamara y realizó sus primeros cortometrajes.

En 1980 estrenó su primer largometraje, *Pepi, Luci, Bom y otras chicas del montón*. La película fue un éxito y, al cabo de poco tiempo, Pedro decidió dejar su trabajo en Telefónica para dedicarse por completo al mundo del cine.

Con *Mujeres al borde de un ataque de nervios*, en 1989 se convirtió en el director extranjero de cine independiente más taquillero en Estados Unidos.

En 2000 su película *Todo sobre mi madre* ganó numerosos premios, entre ellos, el Oscar a la mejor película extranjera. Tres años después, recibió su segundo Oscar, esta vez al mejor guión original, por su película *Hable con ella*, que lo consagró definitivamente como el director de cine español más reconocido internacionalmente.

En 2004 Almodóvar estrenó su película número quince, *La mala educación*, que inauguró el festival de cine de Cannes de ese año.

Pedro Almodóvar es actualmente propietario de la productora El Deseo S.A., que produce sus películas y las de otros importantes realizadores españoles.

## 3. AYER, HACE UN MES...

**A.** Lee estas frases y marca todas las informaciones con las que coincides. Luego, coméntalo con tu compañero.

❏ Fui al cine la semana pasada.
❏ Ayer hice los deberes.
❏ Estuve en Cuba en junio.
❏ Anoche me acosté tarde.
❏ Viví en África del 97 al 99.
❏ El domingo comí paella.
❏ Me casé hace dos años.
❏ Empecé a estudiar español el año pasado.

❏ He ido al cine esta semana.
❏ Últimamente no he hecho los deberes.
❏ No he estado nunca en Cuba.
❏ Hoy me he levantado pronto.
❏ He vivido en Asia.
❏ Todavía no he probado la paella.
❏ Me he casado dos veces.
❏ He empezado a estudiar español este año.

- Yo fui al cine la semana pasada.
- Pues yo he ido esta semana.

**B.** En las frases anteriores aparecen dos tiempos verbales: el Pretérito Indefinido y el Pretérito Perfecto. Marca todas las formas que encuentres en estos dos tiempos. ¿Con qué marcadores temporales se usa cada uno? Escríbelos en el cuadro. ¿Puedes añadir otros?

| Pretérito Indefinido | Pretérito Perfecto |
|---|---|
| la semana pasada | |

**C.** El Pretérito Indefinido sirve para hablar de acciones pasadas situadas en momentos como los de la columna de la izquierda del apartado B. Observa cómo se forma y completa las formas que faltan.

### VERBOS REGULARES

| -AR | -ER | -IR |
|---|---|---|
| estudiar | comer | vivir |
| ............. | ............. | ............. |
| estudiaste | comiste | viviste |
| estudió | comió | vivió |
| estudiamos | comimos | vivimos |
| estudiasteis | comisteis | vivisteis |
| estudiaron | comieron | vivieron |

### VERBOS IRREGULARES

| ir | estar | hacer |
|---|---|---|
| ............. | ............. | ...... |
| fuiste | estuviste | hiciste |
| fue | estuvo | hizo |
| fuimos | estuvimos | hicimos |
| fuisteis | estuvisteis | hicisteis |
| fueron | estuvieron | hicieron |

**D.** ¿Qué dos conjugaciones tienen las mismas terminaciones en Pretérito Indefinido?

**E.** En dos casos, la forma es la misma que en Presente de Indicativo. ¿Cuáles?

## 4. UN CURRÍCULUM

A la derecha tienes el currículum de Nieves. Léelo y, luego, completa estas frases.

1. Estudió en la Universidad de Salamanca de ............... a ...............

2. Llegó a Cambridge en 1996 y al ............... siguiente volvió a Salamanca.

3. Trabajó como profesora de español durante ............ años.

4. Empezó la carrera en 1995 y ............... después la terminó.

5. Trabajó como traductora en una editorial de Barcelona hasta ...............

6. Trabaja como traductora en la ONU desde ...............

**DATOS PERSONALES**

- Nombre: Nieves
- Apellidos: Ruiz Camacho
- DNI: 20122810-W
- Lugar y fecha de nacimiento: Salamanca, 12/06/1976

**FORMACIÓN ACADÉMICA**

- 1995-2000  Universidad de Salamanca. Licenciatura en Filología Inglesa.
- 1996-1997  Estudiante Erasmus en Anglia University, Cambridge (Gran Bretaña).
- 2001-2002  Universidad de París-Cluny (Francia). Máster en Traducción.

**EXPERIENCIA LABORAL**

- 1996-1997  Camarera en The King's Pub, Cambridge (Gran Bretaña).
- 1998-2000  Profesora de español en la Academia ELE, Salamanca.
- 2001-2002  Traductora en la Editorial Barcana, Barcelona.
- 2002-actualidad  Traductora en la ONU, Ginebra (Suiza).

**IDIOMAS**

- Inglés: nivel avanzado, oral y escrito.
- Francés: nivel avanzado, oral y escrito.
- Alemán: nociones básicas.

**OTROS DATOS DE INTERÉS**

- Amplios conocimientos de informática y dominio de programas de edición.
- Disponibilidad para viajar.

# PRETÉRITO INDEFINIDO

El Pretérito Indefinido sirve para hablar de acciones pasadas. Al contrario de lo que pasa con el Pretérito Perfecto, el Pretérito Indefinido lo usamos para hablar de momentos no relacionados con el presente.

## VERBOS REGULARES

|  | -AR<br>cambiar | -ER<br>nacer | -IR<br>escribir |
|---|---|---|---|
| (yo) | cambi**é** | nac**í** | escrib**í** |
| (tú) | cambi**aste** | nac**iste** | escrib**iste** |
| (él/ella/usted) | cambi**ó** | nac**ió** | escrib**ió** |
| (nosotros/nosotras) | cambi**amos*** | nac**imos** | escrib**imos*** |
| (vosotros/vosotras) | cambi**asteis** | nac**isteis** | escrib**isteis** |
| (ellos/ellas/ustedes) | cambi**aron** | nac**ieron** | escrib**ieron** |

- *Cambié* de trabajo hace dos años.

*Estas formas son las mismas que las del Presente de Indicativo.

## VERBOS IRREGULARES

|  | estar |  |
|---|---|---|
| (yo) | **estuv-** | **e** |
| (tú) | **estuv-** | **iste** |
| (él/ella/usted) | **estuv-** | **o** |
| (nosotros/nosotras) | **estuv-** | **imos** |
| (vosotros/vosotras) | **estuv-** | **isteis** |
| (ellos/ellas/ustedes) | **estuv-** | **ieron** |

- Ayer *estuve* en casa de Roberto.

Todos los verbos que tienen la raíz irregular en Pretérito Indefinido tienen las mismas terminaciones.

| tener | ⇒ | **tuv-** |  |
|---|---|---|---|
| poner | ⇒ | **pus-** | **e** |
| poder | ⇒ | **pud-** | **iste** |
| saber | ⇒ | **sup-** | **o** |
| hacer | ⇒ | **hic*-** | **imos** |
| querer | ⇒ | **quis-** | **isteis** |
| venir | ⇒ | **vin-** | **ieron** |
| decir | ⇒ | **dij*-** |  |

*él/ella/usted **hizo**
*ellos/ellas/ustedes **dijeron** ~~dijieron~~

Los verbos **ir** y **ser** tienen la misma forma en Pretérito Indefinido.

|  | ir/ser |
|---|---|
| (yo) | **fui** |
| (tú) | **fuiste** |
| (él/ella/usted) | **fue** |
| (nosotros/nosotras) | **fuimos** |
| (vosotros/vosotras) | **fuisteis** |
| (ellos/ellas/ustedes) | **fueron** |

- *Fui* al cine la semana pasada.
- La película *fue* un gran éxito.

# MARCADORES TEMPORALES PARA HABLAR DEL PASADO

Todos estos marcadores temporales se usan con el Pretérito Indefinido.

**el** martes/año/mes/siglo **pasado**
**la semana pasada**
**hace** un año/dos meses/tres semanas/cuatro días/...
**el** lunes/martes/miércoles/8 de diciembre/...
**en** mayo/1998/Navidad/verano
**ayer/anteayer/anoche**
**el otro día**
**entonces/en esa época**

- ¿*Cuándo* llegaste a Madrid?
  ○ *La semana pasada*.

- Compré el piso *hace* un año.

- ¿*En qué año* te casaste?
  ○ *En* 1998.

- ¿*Qué día* empezó el curso?
  ○ *El* lunes.

# EMPEZAR A + INFINITIVO

| (yo) | **empecé** |  |
|---|---|---|
| (tú) | **empezaste** |  |
| (él/ella/usted) | **empezó** | **a** + Infinitivo |
| (nosotros/nosotras) | **empezamos** |  |
| (vosotros/vosotras) | **empezasteis** |  |
| (ellos/ellas/ustedes) | **empezaron** |  |

- *Empecé a* trabajar en una multinacional hace dos años.

# RELACIONAR ACONTECIMIENTOS DEL PASADO

- Se casaron en 1997 y tres años **después** se divorciaron.
- Acabó el curso en julio y **al** mes **siguiente** encontró trabajo.

# HABLAR DE LA DURACIÓN

- Vivo en Santander **desde** febrero.
- Estuve en casa de Alfredo **hasta** las seis de la tarde.
- Trabajé en un periódico **de** 1996 **a** 1998. (= **del** 96 **al** 98)
- Trabajé como periodista **durante** dos años.

# IR/IRSE

- El domingo **fui** a una exposición muy interesante.
- Llegó a las dos y, media hora más tarde, **se fue***.

*****Irse** = abandonar un lugar

## 5. UNA HISTORIA DE AMOR

**A.** Ordena esta historia de amor.

UN MES MÁS TARDE. PASARON UN FIN DE SEMANA EN LA PLAYA Y DECIDIERON IRSE A VIVIR JUNTOS.

DURANTE ESE TIEMPO. EN EL HOSPITAL. ROSA SE HIZO MUY AMIGA DEL DOCTOR URQUIJO. EL MÉDICO DE ÁLEX.

DOS DÍAS DESPUÉS. LA LLAMÓ. QUEDARON. FUERON AL CINE Y CENARON JUNTOS.

3 DE MAYO DE 1999. ÁLEX CONOCIÓ A ROSA EN UNA DISCOTECA. SE ENAMORARON A PRIMERA VISTA.

EL 8 DE JUNIO DE 1999. ÁLEX TUVO UN ACCIDENTE. PERDIÓ LA MEMORIA. SE QUEDÓ DOS AÑOS EN COMA EN UN HOSPITAL.

EN 2001. UN DÍA ROSA FUE AL HOSPITAL CON SU AMIGA BEATRIZ. ESE DÍA ÁLEX FINALMENTE SE DESPERTÓ Y CUANDO VIO A BEATRIZ SE ENAMORÓ DE ELLA.

**B.** ¿Qué crees que pasó después? En parejas escribid un final para esta historia.

## 6. TODA UNA VIDA

🔊 CD 9 **A.** En el programa de radio "Toda una vida" entrevistan a Mercedes Rivero, propietaria de una cadena de hoteles. Escucha la conversación y escribe qué hizo Mercedes en cada uno de estos lugares.

1. Mallorca (1981):

2. París (1981-1985):

3. La India (1985-1987):

4. Londres (1990-1997):

5. Ibiza (1997-actualidad):

**B.** Ahora escribe los nombres de los tres lugares más importantes de tu vida y, luego, explícale a tu compañero por qué son importantes para ti.

• Los tres lugares más importantes de mi vida son Boston, porque es donde nací, Nueva York, porque es donde conocí a mi marido, y Roma, porque allí pasamos dos años fantásticos.

# 7. LOLA FLORES

**A.** Lola Flores fue un personaje muy conocido en España y en Latinoamérica. ¿Sabes algo de su vida? En parejas, intentad imaginar cuáles de las siguientes cosas son verdad. Márcalas.

☐ Nació en los años 50 en México.

☐ Fue una gran actriz, cantante y bailaora de flamenco.

☐ Tuvo que exiliarse de España durante la dictadura de Franco.

☐ Tuvo mucho éxito en todo el mundo, especialmente en América.

☐ Se casó con el famoso multimillonario griego Aristóteles Onassis.

☐ Tuvo tres hijos: Lolita, Antonio y Rosario.

☐ Nunca actuó en Nueva York.

☐ Se dedicó a la pintura en los últimos años de su vida.

- ¿Crees que nació en los años 50 en México?
- No sé, supongo que nació en España, ¿no?

**B.** Lee ahora esta breve biografía de Lola Flores y comprueba tus hipótesis.

**Lola Flores** nació en Jerez de la Frontera (España) en 1923, pero pronto se trasladó con su familia a Madrid, donde consiguió su primer contrato como bailaora a los 14 años. En 1943 conoció al cantaor Manolo Caracol. Los dos se unieron, artística y sentimentalmente, y formaron una pareja irrepetible. Tuvieron mucho éxito, no solo en España sino también en América: Buenos Aires, México (donde Lola rodó varias películas), La Habana, Río de Janeiro, Nueva York… Lola no fue solo cantante, también fue bailaora, actriz y hasta presentadora de televisión. Fue una de las artistas folclóricas más admiradas en la época de Franco.

Su vida amorosa fue muy agitada y tuvo romances con actores famosos de la época. El multimillonario griego Aristóteles Onassis quiso conquistarla, pero en su primera cita le puso dinero en el bolso. Ella le dijo: "Yo no necesito dinero de ningún hombre…". En los años 60 conoció a Antonio González, "el Pescaílla", un guitarrista gitano con el que se casó y con quien tuvo tres hijos: Lolita, Antonio y Rosario. A comienzos de la década de los 80, con la salud debilitada, Lola Flores empezó a dedicarse a la pintura "naif". Murió en Madrid en 1995. Su hijo Antonio, también cantante, murió el mismo año.

# 8. TU BIOGRAFÍA

**A.** Imagina que estamos en el año 2025 y que tienes que escribir tu biografía. Escríbela pensando en todos los proyectos que tienes y en las cosas que quieres hacer. Ten en cuenta que en los próximos años puede haber muchos cambios (políticos, tecnológicos, sociales, etc.).

Nací en Hamburgo en 1982. Terminé mis estudios de Arte Dramático en Londres en 2004. Dos años después Pedro Almodóvar me contrató para una película y al año siguiente recibí mi primer Óscar. En Hollywood conocí a Leonardo di Caprio y en 2010 nos casamos. Fuimos de luna de miel a Marte…

**B.** Ahora cada uno de vosotros va a leer su biografía a los demás. Al final, entre todos vamos a decidir quién ha tenido la vida más interesante.

## 9. BREVE HISTORIA DEL CINE ESPAÑOL

**A.** Lee esta breve historia del cine español y elige uno de los títulos de la derecha para cada párrafo.

El primer cinematógrafo llegó a España en 1896. Durante los años 10 Barcelona fue el centro de la producción cinematográfica. Sin embargo, a partir de los años 20, la industria se trasladó a Madrid. En esta década se rodaron clásicos como *La verbena de la Paloma* (1921), protagonizada por Florián Rey (el "Rodolfo Valentino" español), o *Un perro andaluz* (1928) de Luis Buñuel, rodada en París en plena época surrealista.

Con la llegada del cine sonoro empezó una época dorada, con películas como *Nobleza baturra* o *Don Quintín el amargao* (ambas de 1935) y con actores como Imperio Argentina o Angelillo. La Guerra Civil (1936-1939) interrumpió estos años de gran actividad. Durante la guerra ambos bandos utilizaron el cine como medio de propaganda bélica.

Tras la guerra, muchos cineastas tuvieron que exiliarse. Durante el franquismo, las producciones estuvieron muy controladas por la censura, por lo que se rodaron sobre todo comedias sentimentales y folclóricas. Sin embargo, a partir de 1950, surgió un movimiento realista con directores como Luis García Berlanga o Juan Antonio Bardem. Ambos tuvieron la capacidad de expresar, bajo una apariencia cómica, la triste realidad española de la época. A principios de los 60, tuvieron mucho éxito comedias típicamente españolas con actores tan característicos como Paco Martínez Soria, Gracita Morales o Concha Velasco.

El cine español sufrió una gran crisis durante los años 70. Paralelamente, la televisión se convirtió en un aparato cada vez más habitual en los hogares españoles. Sin embargo, en estos años se rodaron buenas películas, como *El espíritu de la colmena* (1973) de Víctor Erice o *Cría cuervos* (1975) de Carlos Saura. Con la democracia llegó el "destape", un tipo de cine, entre cómico y erótico, que tuvo mucho éxito.

Los años 80 vieron nacer a uno de los grandes genios del cine español contemporáneo: Pedro Almodóvar. Su cine, irónico y grotesco, sentó las bases de lo que se llamó "comedia madrileña", uno de los géneros más característicos de la década de los 80. Películas como *Sal gorda* (1984) de Fernando Trueba o *Mujeres al borde de un ataque de nervios* (1988) de Almodóvar son ejemplos representativos de esta corriente.

Hoy en día el cine español goza de prestigio internacional. Directores como José Luis Garci, Pedro Almodóvar o Fernando Trueba ya tienen algún Oscar, Penélope Cruz y Antonio Banderas son estrellas de Hollywood, y la presencia del cine español va en aumento en todo el mundo. Al mismo tiempo, han aparecido directores de gran éxito, como Álex de la Iglesia, Julio Medem o Alejandro Amenábar, que garantizan el futuro.

LA COMEDIA MADRILEÑA

EL CINE MUDO

EL CINE ESPAÑOL EN LA ACTUALIDAD

EL CINE ESPAÑOL DURANTE LA DICTADURA

EL "DESTAPE" Y EL CINE DE AUTOR

EL CINE SONORO Y LA GUERRA CIVIL

**B.** ¿De cuál de las anteriores épocas crees que son estas películas? Coméntalo con tus compañeros.

**C.** ¿Qué puedes explicar sobre el cine de tu país?

**8**

# ME GUSTÓ MUCHO

En esta unidad vamos a
**hacer una lista de las cosas más interesantes
del lugar en el que estamos**

Para ello vamos a aprender:

> a hablar de experiencias y a valorarlas
> a expresar el deseo de hacer algo
> usos del Pretérito Perfecto y del Pretérito Indefinido
> *parecer*  > *caer bien/mal*
> *me/te/le/nos/os/les gustaría* + Infinitivo

## 1. SAN SEBASTIÁN

**A.** Lee este artículo sobre San Sebastián. ¿A cuál de los cuatro lugares de los que se habla te gustaría ir? Coméntalo con tu compañero.

**4 SITIOS QUE NO TE PUEDES PERDER DE...**

# San Sebastián,
## la perla del Cantábrico

**un museo**

**CHILLIDA-LEKU.** Este museo, dedicado a la obra del escultor donostiarra Eduardo Chillida, se encuentra a menos de 10 kilómetros del centro de San Sebastián. Las obras se encuentran repartidas entre la casa, un fantástico caserío del siglo XVI, y el hermoso parque que lo rodea.

**un edificio**

**KURSAAL.** Este espectacular centro de congresos y convenciones funciona también como auditorio, teatro y sede del Festival Internacional de Cine. Obra del famoso arquitecto navarro Rafael Moneo, ganó en el año 2001 el premio Mies van der Rohe, el "Nobel de la Arquitectura", y es una de las nuevas imágenes de la ciudad.

**un bar**

**MARTÍNEZ.** San Sebastián es una ciudad con cientos de bares. El Martínez es el preferido de muchos donostiarras: su barra presenta una increíble selección de pinchos (pequeñas raciones de comida, muchas veces, sumamente elaboradas) y vinos. El Martínez está en la calle 31 de agosto, entre las iglesias de Santa María y de San Vicente.

**un restaurante**

**ARZAK.** Juan Mari Arzak es el propietario y chef de este conocido restaurante, ubicado en una casa de tres pisos del Alto de Miracruz. Arzak fue uno de los primeros restaurantes de España que consiguió tres estrellas en la *Guía Michelin* y hoy continúa ofreciendo las creaciones más vanguardistas de la cocina vasca.

● A mí me gustaría ir al museo Chillida-Leku porque me gusta mucho la escultura moderna.
○ Pues a mí me gustaría ir al restaurante Arzak porque me gustaría probar la cocina vasca.

**B.** Ahora cuenta a tus compañeros cuáles son los tres lugares imprescindibles de tu ciudad: un museo, un edificio, un establecimiento (un bar, un restaurante, etc.).

● Si vais a Colonia, tenéis que ver el Domm, que es la catedral, un museo de arte moderno que se llama...

# 2. CONOCER MADRID

🔊 CD 10 **A.** Una revista recomienda algunas obras para conocer mejor la capital de España. Vas a oír cuatro conversaciones. En ellas, varias personas hablan de estas obras. Trata de entender, en primer lugar, qué obra están comentando y escribe el título en el cuadro.

### LIBROS

***El maestro de esgrima.*** El escritor Arturo Pérez-Reverte situó esta novela histórica en el Madrid de mediados del siglo XIX. En ella un profesor de esgrima, que da clases a una misteriosa y bella dama, se ve envuelto en un crimen.

### DISCOS

***Dímelo en la calle.*** Madrid está siempre presente en los discos de Joaquín Sabina. Entre las 14 canciones que componen este disco encontramos baladas, temas rock y canciones de crítica social y política.

ORQUESTA DE CÁMARA DE MADRID

*interpreta a*

**SCARLATTI**

### MÚSICA CLÁSICA

***El Madrid de Scarlatti.*** La OCM está especializada en la música de Scarlatti. Este compositor italiano vivió durante años en Madrid y en muchas de sus sonatas hay una clara influencia española.

*Luces de bohemia*
*de Ramón María del Valle-Inclán*

Compañía
**El Telón**

### TEATRO

***Luces de bohemia.*** La compañía El Telón representa *Luces de bohemia*, de Ramón María del Valle-Inclán. La obra, una pieza esencial del teatro español, muestra la historia de un grupo de artistas en el Madrid de principios del siglo XX.

| | |
|---|---|
| 1 | |
| 2 | |
| 3 | |
| 4 | |

🔊 CD 10 **B.** Vuelve a escuchar las conversaciones y completa el cuadro.

| | ¿Le gustó? | ¿Qué cosas dicen de la obra? |
|---|---|---|
| 1 | | |
| 2 | | |
| 3 | | |
| 4 | | |

**C.** ¿Conoces la agenda cultural de la ciudad en la que estás? ¿Qué te gustaría hacer? Coméntalo con tus compañeros.

**una fiesta**
**una conferencia**
**una obra de teatro**
**una exposición**
**un concierto**
**una película**

• El jueves hay una obra de teatro en...

## 3. ¿HAS ESTADO EN MÁLAGA?

**A.** En estos diálogos aparecen dos tiempos verbales. ¿Cuáles?

- ● ¿**Has estado** alguna vez en Málaga?
- ○ Sí, **he estado** tres o cuatro veces.

- ● ¿**Has estado** en Málaga?
- ○ No, no **he estado** nunca.

- ● ¿**Has estado** en Málaga?
- ○ Sí, **estuve** por primera vez el año pasado, y esta primavera **he estado** otra vez.

- ● ¿Qué tal el fin de semana?
- ○ Fantástico, ¡**hemos estado** en Málaga!

- ● ¿Viajas mucho?
- ○ Bastante, el mes pasado **estuve** en Málaga, en Barcelona y en Milán.

**B.** Ahora mira el cuadro y decide qué tiempo verbal se usa en cada uno de los tres casos: el Pretérito Perfecto o el Pretérito Indefinido.

**1.** Cuando hablamos del pasado, pero no hacemos referencia a cuándo se produjeron los hechos. En estos casos, solemos usar expresiones como **alguna vez**, **varias veces**, **nunca** o **todavía no**.

☐ Pretérito Indefinido
☐ Pretérito Perfecto

**2.** Cuando hablamos del pasado y concretamos que los hechos se produjeron en un momento relacionado con el presente. En estos casos, solemos usar expresiones como **hoy**, **este año**, **esta primavera**, **este mes** o **este fin de semana**.

☐ Pretérito Indefinido
☐ Pretérito Perfecto

**3.** Cuando hablamos del pasado y concretamos que los hechos se produjeron en un momento no relacionado con el presente. En estos casos, solemos usar expresiones como **el año pasado**, **ayer**, **el otro día** o **la semana pasada**.

☐ Pretérito Indefinido
☐ Pretérito Perfecto

## 4. ME CAYÓ GENIAL

**A.** Aquí tienes tres correos que Claudia ha escrito a amigos suyos. Marca todas las frases en las que hace alguna valoración (de experiencias, de lugares, de personas, etc.).

Asunto: **¿Qué tal?**

¡Hola Edith!
¿Qué tal por Londres? Yo, por aquí, feliz. ¿A que no sabes qué hice el viernes pasado? Cogí un tren y me fui a Sevilla a pasar el fin de semana con Carlos. ¡Fue fantástico! Salimos a cenar, paseamos mucho y estuvimos con sus amigos. Me lo pasé fenomenal. ¡Ah! También conocí a sus padres: me cayeron muy bien, son muy simpáticos. ¡Un fin de semana perfecto! ¿Y tú? ¿Qué me cuentas? ¿Cómo te va todo? Escríbeme.

Besos desde Madrid.

Claudia

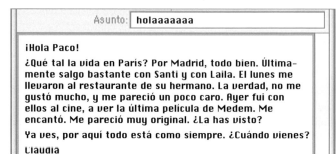

Asunto: **holaaaaaaa**

¡Hola Paco!
¿Qué tal la vida en París? Por Madrid, todo bien. Últimamente salgo bastante con Santi y con Laila. El lunes me llevaron al restaurante de su hermano. La verdad, no me gustó mucho, y me pareció un poco caro. Ayer fui con ellos al cine, a ver la última película de Medem. Me encantó. Me pareció muy original. ¿La has visto?

Ya ves, por aquí todo está como siempre. ¿Cuándo vienes?

Claudia

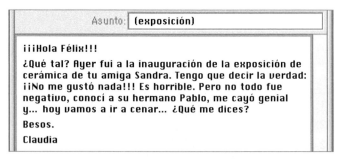

Asunto: **(exposición)**

¡¡¡Hola Félix!!!
¿Qué tal? Ayer fui a la inauguración de la exposición de cerámica de tu amiga Sandra. Tengo que decir la verdad: ¡¡No me gustó nada!!! Es horrible. Pero no todo fue negativo, conocí a su hermano Pablo, me cayó genial y... hoy vamos a ir a cenar... ¿Qué me dices?

Besos.

Claudia

**B.** ¿Entiendes por qué dice **sus padres me cayeron muy bien** pero **Pablo me cayó genial**?

**C.** Ya has visto cómo funciona la expresión **caer bien/mal**. Ahora relaciona estas frases.

1. Ayer conocí a Luis y a Mar. Son muy simpáticos.
2. Ayer conocí a Alfonso. Es muy simpático.
3. Ayer conocí a los padres de Pau. No son muy simpáticos.
4. Ayer conocí a Fede. No es muy simpático.

A. No me cayó muy bien.
B. Me cayeron muy bien.
C. Me cayó muy bien.
D. No me cayeron muy bien.

# HABLAR DE EXPERIENCIAS EN EL PASADO

Usamos el Pretérito Perfecto cuando preguntamos si se ha realizado o no se ha realizado algo.

- ¿**Has estado** en la catedral?
- ¿**Has ido** a Toledo?
- ¿**Has visto** la última película de Medem?

También usamos el Pretérito Perfecto cuando informamos de un hecho pasado usando un marcador temporal referido al presente.

- Hoy **he desayunado** un café con leche y unas tostadas.
- Este fin de semana **he comido** demasiado.
- Esta semana **he leído** tres libros.

También usamos el Pretérito Perfecto cuando no informamos del momento en el que hemos realizado algo.

- **He estado** en Barcelona varias veces.
- Todavía no **he probado** la paella.
- Ya **he visto** la película. Es buenísima.

Usamos el Pretérito Indefinido cuando informamos de una acción pasada sin relacionarla con el presente.

- Ayer **estuve** en casa de Carlos.
- El otro día **fui** a la catedral.
- El martes pasado no **hice** los deberes.

¿Habéis visto "Matrix 5"?

Sí, yo la vi ayer. Es muy buena

No, yo todavía no la he visto

# EXPRESAR EL DESEO DE HACER ALGO

| (A mí) | me | |
|---|---|---|
| (A ti) | te | |
| (A él/ella/usted) | le | |
| (A nosotros/nosotras) | nos | **gustaría** + Infinitivo |
| (A vosotros/vosotras) | os | |
| (A ellos/ellas/ustedes) | les | |

- ¿**Te gustaría** ir al circo esta tarde?
- ○ *Sí, mucho.*

- *Este fin de semana **me gustaría** ir al campo.*

# VALORAR EN EL PASADO

## PARECER

| (A mí) | me | | |
|---|---|---|---|
| (A ti) | te | | |
| (A él/ella/usted) | le | **pareció** | |
| (A nosotros/nosotras) | nos | **parecieron** | + adjetivo |
| (A vosotros/vosotras) | os | | |
| (A ellos/ellas/ustedes) | les | | |

## COSAS

- ¿**Qué tal** la obra de teatro?
  ¿**Qué te/le pareció** la obra de teatro?

- ○ Me encantó.
  Me gustó mucho.
  Me gustó bastante.
  No me gustó mucho.
  No me gustó nada.
  (**Me pareció**) increíble/un poco aburrida/horrible/...

- ¿**Qué tal** los libros?
  ¿**Qué te/le parecieron** los libros?

- ○ Me encantaron.
  Me gustaron mucho.
  Me gustaron bastante.
  No me gustaron mucho.
  No me gustaron nada.
  (**Me parecieron**) increíbles/un poco aburridos/horribles/...

## PERSONAS

- ¿**Qué te/le pareció** Luis?
- ○ Me cayó muy bien.
  Me cayó bien.
  No me cayó muy bien.
  Me cayó muy mal.
  (**Me pareció**) muy majo/un poco tímido/...

- ¿**Qué te/le parecieron** los padres de Luis?
- ○ Me cayeron muy bien.
  Me cayeron bien.
  No me cayeron muy bien.
  Me cayeron muy mal.
  (**Me parecieron**) muy majos/un poco tímidos/...

## ACTIVIDADES

- ¿**Qué tal** la fiesta de cumpleaños?
- ○ Lo pasé/pasamos muy bien.
  Lo pasé/pasamos bastante bien.
  No lo pasé/pasamos muy bien.
  Lo pasé/pasamos muy mal.

## 5. SONIQUETE, ROSARIO Y MORELLA

**CD 11** **A.** Vas a escuchar tres conversaciones. ¿De qué hablan en cada una de ellas? Escríbelo en el cuadro.

| 1. Soniquete | |
|---|---|
| 2. Rosario | |
| 3. Morella | |

**CD 11** **B.** Escucha de nuevo las conversaciones y escribe una frase que resuma la opinión que se formula en cada una.

| 1. Soniquete | |
|---|---|
| 2. Rosario | |
| 3. Morella | |

**C.** Piensa en un lugar (una ciudad, un país, una región) que te impresionó cuando estuviste por primera vez. Luego, pregunta a tus compañeros si han estado en ese lugar y si les causó la misma impresión.

- Yo estuve hace dos años en Venecia y me encantó. Me pareció la ciudad más bonita del mundo. ¿Alguien ha estado?
- Yo estuve hace 3 años y...

## 6. COSAS EN COMÚN

**A.** En parejas, tenéis que encontrar un libro y una película que habéis visto los dos y que os han gustado.

- ¿Has leído "El señor de los anillos"?
- ¿"El señor de los anillos"?
- Sí, el libro de Tolkien: "The Lord of the rings".
- Ah, sí, sí, lo he leído. Me gustó mucho.

**B.** Ahora explicadlo al resto de la clase. ¿Vuestros compañeros tienen la misma opinión?

- Los dos hemos leído "El Señor de los anillos" y...

**Lo/la/los/las** he visto/leído.
**Lo/la/los/las** vi/leí hace tiempo/el año pasado/...
No **lo/la/los/las** he visto/he leído.

## 7. SOÑAR ES GRATIS

**A.** En parejas, imaginad que tenéis mucho dinero y que podéis crear el local de vuestros sueños: un bar, una discoteca, una galería de arte, etc. Decidid qué tipo de local es y completad la ficha.

| Qué es: |
|---|
| Cómo se llama: |
| Dónde está: |
| Qué cosas hay/hacen/tienen: |
| Otras características: |

**B.** Ahora vais a explicar a vuestros compañeros cómo es vuestro local. Los demás pueden hacer preguntas porque luego, entre todos, vais a decidir cuál es el mejor local.

- Nuestro local es un restaurante vegetariano y se llama "La lechuga feliz". Está en un parque y es muy bonito. Tenemos unas ensaladas muy buenas, y cultivamos nuestras propias verduras...

# 8. EL PEOR SÁBADO DE LA VIDA DE TRISTÁN

**A.** Tristán es una persona muy negativa. El sábado pasado hizo muchas cosas pero nada le gustó. En parejas, escribid el correo electrónico que Tristán envió a un amigo suyo para explicarle cómo le fue el día. A ver quién crea el mensaje más divertido.

¡Qué rollo de película!
¡Qué restaurante tan caro!
¡Qué gente tan antipática!
¡Qué mala suerte!
...

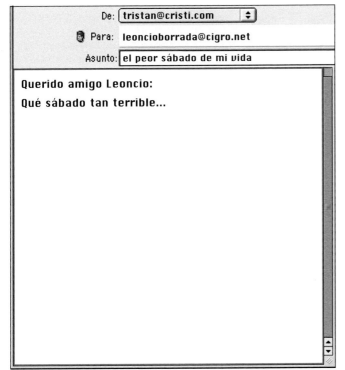

De: tristan@cristi.com
Para: leoncioborrada@cigro.net
Asunto: el peor sábado de mi vida

Querido amigo Leoncio:
Qué sábado tan terrible...

**B.** Feliciano es el hermano gemelo de Tristán, pero es totalmente diferente. Es alegre, optimista y siempre está de buen humor. En parejas, imaginad cómo sería su correo explicando lo que hizo el sábado pasado.

# 9. NUESTRAS MEJORES EXPERIENCIAS

**A.** En grupos de tres, pensad en las cosas más interesantes que habéis hecho desde que llegasteis a la ciudad en la que estáis. Tenéis que escoger las cuatro cosas imprescindibles que todo el mundo debe hacer cuando viaja a esta ciudad. Aquí tenéis algunas ideas.

UN BAR
UN RESTAURANTE
UN MUSEO
UN PARQUE
UN BARRIO
UNA CALLE
UNA COMIDA
UNA EXCURSIÓN
UNA BEBIDA
UN EDIFICIO
UN RINCÓN CON ENCANTO

- ¿Habéis estado en la catedral? Yo creo que es una de las cosas más interesantes de la ciudad, ¿no?
- Sí, yo estuve el otro día y me encantó.
- Pues yo no he estado.
- ¡Pues tienes que ir!
- ¿Y habéis probado las torrijas?

**B.** Ahora tenéis que presentar vuestras propuestas al resto de la clase. Tenéis que justificar vuestra elección y dar algunos datos sobre las cosas que recomendáis.

- Aquí hay muchas cosas interesantes, pero las cuatro cosas que más nos han gustado son: el restaurante Casa Luis, el museo de arte contemporáneo (...) Casa Luis es un restaurante típico español: tienen unas tapas muy buenas y...

## 10. REGALOS

**A.** ¿Cuál de estos discos, libros y películas te gustaría llevarte a tu país? ¿Por qué? Coméntalo con tu compañero.

### Alejandro Sanz
### Más

Posiblemente el mejor disco de esta estrella de la música española. Incluye "Corazón partío", una de las canciones más conocidas de todo su repertorio.

### Rosario
### Muchas flores

Hija de la célebre Lola Flores, Rosario está considerada la reina de la rumba flamenca. En este disco, mezcla varios estilos, como el bolero, la bossa, la rumba y los sones caribeños.

### Café Quijano
### La taberna del buda

Tercer disco de este interesante grupo leonés formado por los hermanos Manuel, Raúl y Óscar Quijano. "La taberna del buda" ofrece una excelente mezcla de rock con sonidos latinos.

### Todo sobre mi madre

Ganadora del Oscar a la mejor película extranjera en 2000, *Todo sobre mi madre* cuenta la historia de Manuela, una mujer, destrozada por la muerte de su hijo que inicia una desesperada búsqueda del padre de su hijo, un transexual llamado Lola.

### Juana la loca

Película histórica que cuenta la vida de Juana, hija de los Reyes Católicos, quien, a causa del exagerado amor que siente por su marido, es declarada loca. Cabe destacar la fantástica actuación de Pilar López de Ayala en el papel de Juana.

### El otro lado de la cama

Historia de cruces de pareja y de infidelidades, *El otro lado de la cama* es una comedia musical, original e inteligente, que habla del amor, del sexo y sobre todo de la mentira. Fue la película española más taquillera de 2002.

### Manuel Rivas
### ¿Qué me quieres, amor?

Para muchos, Manuel Rivas es el mejor escritor gallego actual. *¿Qué me quieres, amor?* se compone de dieciséis relatos breves que destacan por su autenticidad y profunda carga poética.

### Eduardo Mendoza
### La ciudad de los prodigios

Ambientada en Barcelona en el período comprendido entre las dos Exposiciones Universales (1888 y 1929), narra las aventuras de un inmigrante que asciende a la cima del poder financiero y delictivo.

### Almudena Grandes
### Malena es un nombre de tango

Tercera novela de esta escritora madrileña. *Malena es un nombre de tango* cuenta, de una forma real y apasionada, la historia de una mujer española desde la infancia hasta la madurez.

**B.** ¿Qué otras cosas te vas a llevar a tu país? Coméntalo con tus compañeros. Puedes pedir consejo a tu profesor.

# 9

# ESTAMOS MUY BIEN

En esta unidad vamos a
**buscar soluciones para algunos
problemas de nuestros compañeros**

Para ello vamos a aprender:

> a dar consejos
> a hablar de estados de ánimo
> a describir dolores, molestias y síntomas
> usos de los verbos *ser* y *estar*
> las partes del cuerpo

# 1. EL CUERPO PERFECTO

**A.** Los lectores de una revista han elegido las partes del cuerpo que más les gustan del mundo del cine. ¿Sabes a cuál de los actores y de las actrices pertenecen? Escríbelo.

**5. El pelo de**

........................................

**1. La cara de**

........................................

**6. Los ojos de**

........................................

**7. La nariz de**

........................................

**2. Los brazos de**

........................................

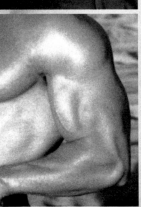

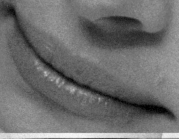

**8. La boca de**

........................................

**3. Las manos de**

........................................

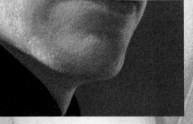

**9. La barbilla de**

........................................

*Arnold Schwarzenegger*

*Julia Roberts*        *Penélope Cruz*

*Johnny Depp*        *Nicole Kidman*

*Cameron Diaz*        *Keanu Reeves*

*Sharon Stone*        *Javier Bardem*

**4. Las piernas de**

........................................

**B.** ¿Cuál es la parte del cuerpo en la que te fijas primero en una persona? ¿Cuál es la parte del cuerpo que te gusta más de ti?

• Yo, cuando conozco a alguien, primero me fijo en los ojos...

# 2. LENGUAJE CORPORAL

**A.** Lee este artículo sobre el lenguaje corporal. Seguro que encuentras en él cosas que has observado en España o en otros países. ¿Qué consejos interesantes te da? Completa el cuadro.

# SIN PALABRAS · SIN PALABRAS

Cuando conversas con alguien, tu cuerpo envía muchos mensajes. Pero el lenguaje corporal no es igual en todos los lugares, americanos del norte y del sur, mediterráneos y nórdicos, eslavos, africanos, árabes, asiáticos del Extremo Oriente..., todos tenemos, además de nuestro idioma, otra lengua. Lee atentamente las siguientes informaciones: te pueden ayudar en tus contactos con personas de otras culturas.

### Mira a los ojos
Los ojos expresan todas las emociones: por la mirada podemos saber si una persona está alegre, triste, preocupada, etc. Para los españoles, alguien que

mira directamente a los ojos de los demás es, generalmente, una persona segura y sincera.

### Manos que hablan
Las personas de culturas latinas y mediterráneas (como los españoles) usan más las manos y tocan más a los demás que las personas de culturas anglosajonas o algunos asiáticos (como los japoneses). Para los españoles, en general, tocar al interlocutor demuestra cariño,

pero también es cierto que hay personas que se sienten molestas cuando las tocan. Por otro lado, tampoco es aconsejable participar en una conversación con las manos dentro de los

bolsillos porque eso puede significar falta de respeto.

### Más cerca
La distancia es algo relativo: depende de la cultura de cada uno. Los latinoamericanos, por ejem-

plo, se sienten cómodos hablando con personas que están a menos de 50 cm, mientras que un estadounidense necesita un metro, aproximadamente, para no sentirse "invadido".

### Gestos que muestran impaciencia o aburrimiento
Si una conversación no te interesa, la otra persona puede notarlo fácilmente por tus gestos. En las culturas occidentales, en

general, levantarse todo el tiempo, cruzar las piernas varias veces o mirar constantemente el reloj muestra que alguien está aburrido. Por eso, cuando estás sentado, es recomendable situarse en una posición cómoda y descansada para así respirar mejor. Además, si mueves los pies constantemente durante la conversación, el otro puede interpretar que estás nervioso, cansado o impaciente.

### Sonríe por favor
Sonreír en una conversación transmite confianza y alegría, pero no hay que exagerar. Si sonríes demasiado, algunos españoles pueden tener la impresión de que no eres del todo sincero.

**En España...**

| Intenta | No debes |
|---|---|
|  |  |
|  |  |
|  |  |

**B.** ¿Qué consejos sobre el mismo tema puedes dar tú a personas que van a tu país?

• Si vas a Italia, no debes...

## 3. ESTÁ MAREADA

**A.** Estas cinco personas tienen un problema de salud. Escucha las conversaciones y escribe qué problema tiene

Le duele ............

Le duelen ............

Tiene ............

Tiene dolor de ............

Está ............

cada una.

**B.** Ahora piensa con qué palabras se pueden usar estas

| la cabeza | pies | tos | los oídos |
| cabeza | el estómago | fiebre | náuseas |
| las muelas | estómago | la espalda | enfermo/a |
| muelas | mareado/a | espalda | diarrea |
| los pies | resfriado/a | oídos | pálido/a |

| le duele | le duelen | tiene dolor de | tiene | está |
|----------|-----------|----------------|-------|------|
|          |           |                |       |      |
|          |           |                |       |      |
|          |           |                |       |      |
|          |           |                |       |      |

**C.** Estos son los consejos que les dan a las personas del apartado A. ¿A cuál crees que corresponde cada uno?

- ☐ Para eso lo mejor es ponerlos en agua caliente y sal.
- ☐ ¿Por qué no te sientas y descansas un rato?
- ☐ Para eso la manzanilla va muy bien.
- ☐ Deberías tomarte una aspirina y descansar un poco.
- ☐ Tienes que tomar, antes de dormir, un vaso de leche caliente con miel.

**D.** Escucha y comprueba.

## 4. ¿ES O ESTÁ?

Estas son Eva y Antonia. Fíjate en que en las dos descripciones aparecen los verbos **ser** (es) y **estar** (está). ¿En qué tipo de informaciones crees que se usan uno y otro? Completa el cuadro.

**EVA**
**Es** española.
**Es** una chica muy responsable.
**Es** muy guapa.
**Está** haciendo un máster.
**Está** un poco nerviosa porque mañana tiene un examen.
**Está** bastante cansada porque anoche estudió hasta tarde.
En la foto es la que **está** a la izquierda.

**ANTONIA**
**Es** italiana.
**Es** arquitecta.
**Está** trabajando en un estudio de arquitectura.
**Es** una chica muy simpática y sociable.
**Es** muy alta.
**Está** muy contenta porque su trabajo es muy interesante.
**Está** un poco cansada porque últimamente trabaja mucho.
En la foto es la que **está** a la derecha.

En la descripción (nacionalidad, origen, aspecto físico, profesión, carácter...) se usa el verbo ................

Para hablar de características que presentamos como temporales se usa ................

Para hablar de la ubicación y de la posición se usa ................

Para hablar de acciones que se desarrollan en el presente se usa ................ + Gerundio.

## PARTES DEL CUERPO

En español, en general, para hablar de las partes del cuerpo no se usan posesivos, sino artículos.

- Marta se lava mucho **el** pelo / ~~su pelo~~.
- El niño ha abierto **los** ojos / ~~sus ojos~~.
- Carlos tiene **unas** manos muy grandes.

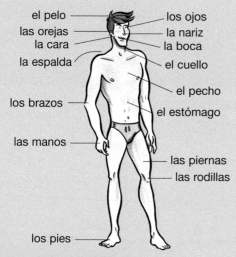

el pelo
las orejas
la cara
la espalda
los brazos
las manos
los pies
los ojos
la nariz
la boca
el cuello
el pecho
el estómago
las piernas
las rodillas

## HABLAR DE DOLORES, MOLESTIAS Y SÍNTOMAS

### DOLER

| Me Te Le Nos Os Les | duele duelen | la cabeza (NOMBRE EN SINGULAR) los pies (NOMBRE EN PLURAL) |
|---|---|---|

**Tener** + **dolor de** Ø cabeza/espalda/oído/…
**Tener** + tos/fiebre/frío/calor/náuseas/mala cara/...
**Estar** + mareado/a, resfriado/a, cansado/a, pálido/a…

- *¿Qué le pasa, señora Torres?* ***Tiene*** *mala cara.*
- ***Me duele*** *mucho la cabeza, y* ***estoy*** *un poco mareada.*

## DAR CONSEJOS

Consejos impersonales
**lo mejor es** hacer deporte.
**va (muy) bien** desayunar fruta.

(**Para** adelgazar)
(**Si** quiere/s adelgazar)

Consejos personales
**tiene/s que** comer menos.
**debe/s** hacer más deporte.
**debería/s** andar más.
**puede/s** hacer una dieta.
**intente/a** comer menos dulces.

## SER Y ESTAR

### SER

Identificar, definir y describir, presentando las características como algo permanente y objetivo

- ¿El señor Rupérez?
- **Es** ese de ahí.

- Carlos **es** un amigo mío del colegio.

- Yuri **es** sueco, pero sus padres **son** rusos.

- Estos tomates **son** de Murcia.

- Sandra **es** dentista y Lola, periodista.

- El novio de Tania **es** un chico muy simpático. Además **es** muy amable y muy guapo.

- ~~**Está** un chico guapo.~~

### ESTAR

Presentar las características de algo o de alguien como temporales o subjetivas

- El novio de Tania **está** un poco raro últimamente: **está** triste, de mal humor, y además, **está** muy delgado…

Hablar de la ubicación y la posición

- ¿Dónde **está** Karl.
- No sé, creo que **está** en su cuarto.

- El Teatro Real **está** cerca de aquí, ¿no?

- **Está** de pie. sentado/a. tumbado/a. agachado/a.

---

Hay adjetivos que pueden combinarse con **ser** y con **estar** y que mantienen el mismo significado.

- **Es** impaciente. (=siempre)
- **Está** impaciente. (=en este momento o últimamente)

- **Es** muy tranquilo. (=siempre)
- **Está** tranquilo. (=en este momento o últimamente)

Algunos adjetivos van únicamente con el verbo **ser**.

- **Es** muy inteligente.    - ~~**Está** muy inteligente.~~

Algunos adjetivos van únicamente con el verbo **estar**.

- **Está** contento.    - ~~**Es** contento.~~

Los participios usados como adjetivos van siempre con **estar**.

- La puerta **está** abierta.
- Las ventanas **están** cerradas.

Los adverbios **bien** y **mal** van siempre con **estar**.

- **Está** muy bien.    - ~~**Es** muy bien.~~
- No **está** nada mal.    - ~~No **es** nada mal.~~

## 5. GESTOS

**A.** ¿Qué gestos, qué movimientos haces cuando estás enfadado, nervioso, contento, impaciente, triste…?

- *Cuando estoy enfadado, creo que pongo la boca así y cruzo los brazos…*

**B.** Ahora vais a actuar. De uno en uno tenéis que mostrar un estado de ánimo o una emoción. Los demás tienen que acertar de qué emoción se trata.

- *¿Estás nervioso?*
- *No.*
- *¿Enfadado?*

## 6. HAY MUCHA GENTE

¿Qué gestos haces cuando dices estas frases o cuando alguien no te oye y quieres expresar estas cosas? ¿Todos los de la clase lo hacéis igual?

| | |
|---|---|
| Yo. | Me voy. |
| Ven aquí. | ¿Vamos a comer? |
| ¡Vete! | Tengo calor. |
| Te llamo por teléfono. | Hay mucha gente. |
| Nos vemos mañana. | Fíjate bien. |
| Tengo sueño. | La cuenta, por favor. |

## 7. ¿POR QUÉ ESTÁ CONTENTA?

Mirad estas imágenes. ¿Cómo os parece que están estas personas? ¿Podéis imaginar las razones? En parejas, intentad escribirlas. ¿Coincidís con las demás parejas?

*La mujer está muy contenta porque…*

## 8. CONSULTORIO

**A.** Tres personas han escrito al consultorio de una revista para buscar una solución a sus problemas. Lee los consejos que les han dado y decide a qué problema corresponden. ¿Puedes darles tú otros consejos?

### PROBLEMAS

♦ *La semana que viene tengo que hablar en público y estoy muerto de miedo.*

♦ *Paso 12 horas al día delante del ordenador. ¿Qué puedo hacer para no perder la forma?*

♦ *Una compañera de trabajo se ha divorciado hace un mes. Me gusta mucho, pero no sé si es un buen momento para proponerle una relación.*

### SOLUCIONES

**1.** En primer lugar, hay una cuestión que debes controlar especialmente: tu alimentación. Debes tomar alimentos con mucha fibra (verduras, frutas y cereales integrales), evitar las grasas animales (embutidos, carnes grasas y mantequilla) y comer preferentemente pescado. De cualquier modo, trabajas muchas horas, demasiadas, y el problema es que siempre estás sentado. Existe un ejercicio para los músculos abdominales que se puede hacer en estos casos: tienes que contraer el abdomen, y mantener la contracción durante diez segundos y luego descansar durante diez segundos más. Puedes repetir este ejercicio cinco o seis veces cada dos horas.

**2.** Cada persona es diferente pero, en general, podemos decir que se deben esperar unos meses antes de iniciar una nueva relación. Las personas que han roto con su pareja tienen un sentimiento de pérdida y pasan, casi siempre, por diferentes fases. Al principio no pueden creer que la separación es real, luego vienen la rabia y la tristeza y, finalmente, la aceptación. Tienes que esperar y observarla: ¿crees que lo ha aceptado? ¿o parece aún triste o enfadada? Debes ser paciente, esperar algunos meses y ser muy cuidadoso con sus sentimientos.

**3.** Lo primero que debes hacer es afrontar el problema; si sabes que te da miedo hablar en público y tienes que hacerlo, debes empezar a "entrenarte". Puedes hacer varios ensayos en casa, delante de tus amigos o de tu familia, ellos te pueden ayudar a mejorar tu técnica y, además, van a ser amables contigo. También es muy útil controlar la respiración. La respiración es como el "motor" del cuerpo: si la controlas, puedes dominar tu nerviosismo. Por eso, en los ensayos y el día de la conferencia debes intentar respirar de manera pausada.

**B.** Ahora, en parejas, vosotros seréis los consejeros. Escoged un problema de los siguientes y escribid un consejo.

1. Desde mi última novia (hace 8 años) no he salido con ninguna chica y me siento muy solo.
2. Tengo 34 años y mis padres no saben que soy gay.
3. No quiero vivir en casa de mis padres, tengo 27 años, pero no tengo trabajo.
4. Mi hijo de 14 años se quiere hacer un piercing en la lengua.
5. Quiero mucho a mi novio, pero un compañero de trabajo que me gusta mucho me ha propuesto salir con él.

## 9. TENGO UN PROBLEMA

**A.** En una hoja aparte escribe un problema o algo que te preocupa. Puede ser un problema real o inventado. Puedes hablar de cuestiones de salud, trabajo, de relaciones personales, etc. Fírmalo con un pseudónimo.

mi problema:
. . . . . . . . . . . . . . . . . . . . . . . . . . . . . . . . . . . . . . . . . .
. . . . . . . . . . . . . . . . . . . . . . . . . . . . . . . . . . . . . . . . . .

los consejos de mis compañeros:
. . . . . . . . . . . . . . . . . . . . . . . . . . . . . . . . . . . . . . . . . .

**B.** Ahora tu carta va a circular por toda la clase. Cada uno de tus compañeros va a escribir en la misma hoja una solución o un consejo para ayudarte.

**C.** Ahora presenta a la clase los consejos que han escrito tus compañeros para uno de los problemas. ¿Cuáles son los mejores?

## 10. BAILANDO

**A.** Mira la fotografía. ¿De qué década crees que es? Coméntalo con tus compañeros. Después, lee el texto.

Los años ochenta fueron definitivamente la década prodigiosa en España, una época de transformación, de cambio social, político y económico. Fueron muchos los sectores que contribuyeron a este cambio, pero uno de los más visibles fue la vida nocturna. Una de las musas de esa vida nocturna fue Alaska.

Olvido Gara, verdadero nombre de Alaska, fue el alma de una serie de grupos de música (Kaka de Luxe, Alaska y los Pegamoides, Alaska y Dinarama) que introdujeron en España algunas de las corrientes musicales más importantes de los 80 y de los 90. Algunos de sus grandes éxitos, como "Bailando", se convirtieron en himnos para casi todos los españoles. Actualmente Alaska es la voz del grupo Fangoria.

**CD 14** **B.** Esta es la letra de "Bailando". Escucha la canción. ¿Cómo te imaginas que está la persona de la canción? ¿Por qué?

## BAILANDO

BAILANDO.
ME PASO EL DÍA BAILANDO.
Y LOS VECINOS MIENTRAS TANTO,
NO PARAN DE MOLESTAR.

BEBIENDO.
ME PASO EL DÍA BEBIENDO.
LA COCTELERA AGITANDO,
LLENA DE SODA Y VERMÚ.

TENGO LOS HUESOS DESENCAJADOS.
EL FÉMUR TENGO MUY DISLOCADO.
TENGO EL CUERPO MUY MAL,
PERO UNA GRAN VIDA SOCIAL.

BAILO TODO EL DÍA.
CON O SIN COMPAÑÍA.
MUEVO LA PIERNA, MUEVO EL PIE,
MUEVO LA TIBIA Y EL PERONÉ.
MUEVO LA CABEZA, MUEVO EL ESTERNÓN.
MUEVO LA CADERA SIEMPRE QUE TENGO OCASIÓN.

TENGO LOS HUESOS DESENCAJADOS.
EL FÉMUR TENGO MUY DISLOCADO.
TENGO EL CUERPO MUY MAL,
PERO UNA GRAN VIDA SOCIAL. BAILANDO...

(ALASKA Y LOS PEGAMOIDES. 1982)

**C.** Piensa ahora en otras actividades en lugar de bailar y beber (estudiar, hablar, jugar, aprender, pasear...) y escribe las dos primeras estrofas de tu canción.

# 10 FIN DE CURSO

En esta unidad vamos a
## hacer una revista con varias secciones

**Para ello vamos a:**

> repasar usos y formas del Presente,
del Pretérito Perfecto y del Pretérito Indefinido
> usar los pronombres de OD
> usar los verbos ser y estar
> recordar vocabulario y temas tratados durante el curso
> redactar diferentes tipos de textos

CASTILLO DIABOLICO

## 1. COSAS DE TI

Vamos a recordar algunas cosas que hemos aprendido en este curso. Escribe tus respuestas.

**1. ¿A qué hora te has levantado hoy? ¿Y normalmente?**

..................................................................................

**2. ¿En qué lugar de la casa desayunas normalmente?**

..................................................................................

**3. ¿Cuál es tu palabra favorita en español?**

..................................................................................

**4. ¿Con qué personas de tu familia te llevas bien?**

..................................................................................

**5. ¿Cómo es tu hombre/mujer ideal?**

..................................................................................

**6. ¿Qué crees que está haciendo en este momento tu mejor amigo o tu mejor amiga? ¿Dónde está?**

..................................................................................

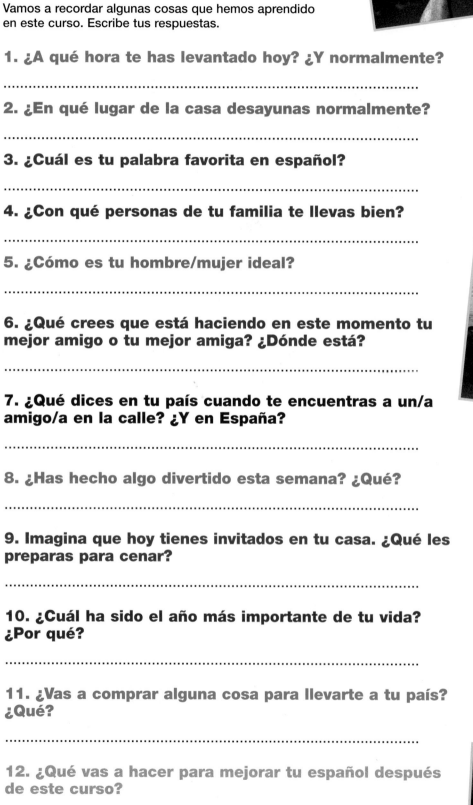

**7. ¿Qué dices en tu país cuando te encuentras a un/a amigo/a en la calle? ¿Y en España?**

..................................................................................

**8. ¿Has hecho algo divertido esta semana? ¿Qué?**

..................................................................................

**9. Imagina que hoy tienes invitados en tu casa. ¿Qué les preparas para cenar?**

..................................................................................

**10. ¿Cuál ha sido el año más importante de tu vida? ¿Por qué?**

..................................................................................

**11. ¿Vas a comprar alguna cosa para llevarte a tu país? ¿Qué?**

..................................................................................

**12. ¿Qué vas a hacer para mejorar tu español después de este curso?**

..................................................................................

# 2. CRUCIGRAMA

**A.** Este crucigrama te va a servir para recordar las palabras que has aprendido en este curso. En parejas, intentad completarlo.

## HORIZONTALES

**3.** Lugar donde compras cosas.

**6.** Cuando dos personas se casan.

**11.** Es una letra que a muchos estudiantes de español les cuesta pronunciar.

**12.** Lugar de donde salen los aviones.

**14.** Las necesitas para andar.

**17.** Las necesitan algunas personas para ver bien.

**20.** Decir adiós.

**21.** Un hombre que no está casado.

**22.** Un diccionario bilingüe puede servir para…

**23.** No es tuya, es…

## VERTICALES

**1.** No me gusta el café solo, lo tomo con…

**2.** En España mucha gente vive en uno.

**3.** El uniforme de un ejecutivo.

**4.** Profesión de Penélope Cruz.

**5.** Un día antes del martes.

**7.** Para hacer una tortilla necesitas…

**8.** Donde están los ojos, la nariz y la boca.

**9.** Mueble donde descansamos, dormimos, leemos o vemos la tele.

**10.** Lugar donde preparas el desayuno, la comida, la cena…

**13.** Ayer por la noche.

**15.** Antes de freír las patatas las tienes que…

**16.** *Jeans* en español.

**18.** Ayer me dormí en el cine; la película me pareció muy…

**19.** Para hacer una ensalada, es de color verde.

**23.** Un año tiene doce.

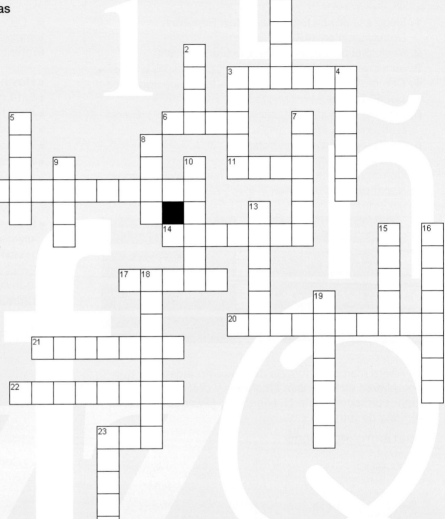

**B.** Ahora, en parejas, tenéis que elegir cinco palabras que habéis aprendido en el curso y preparar una definición para cada una de ellas. Vuestros compañeros tienen que adivinarlas.

Es un aparato/objeto que sirve para…
Es una cosa que sirve para…
Es un lugar donde…

● Es un aparato que sirve para calentar la comida.
○ ¡Microondas!
● ¡Sí!

## 3. ¿QUIÉN HIZO QUÉ?

**A.** ¿De quién están hablando en cada caso?

1. Llegó a la isla La Española (actual República Dominicana) en 1492.
2. Recibió el premio Nobel de Literatura en 1982.
3. Vendió el estado de Alaska a los Estados Unidos en 1867.
4. Compraron la isla de Manhattan a los indios iroqueses por 60 florines.
5. Escribieron muchos cuentos infantiles (*Hansel y Gretel*, *Blancanieves*, etc.).
6. Perdieron la batalla de Trafalgar.
7. Tuvo seis mujeres.
8. Compusieron muchas canciones famosas: "Yesterday", "Let it be", "All you need is love", etc.

| | |
|---|---|
| Los españoles | Los hermanos Grimm |
| Enrique VIII | Cristobal Colón |
| El zar Alejandro II | Gabriel García Márquez |
| Los Beatles | Unos colonos holandeses |

**B.** Ahora marca las formas del Pretérito Indefinido que encuentres en las frases anteriores y colócalas en el lugar correspondiente en el cuadro. ¿Puedes completar el resto de formas?

### PRETÉRITO INDEFINIDO

| REGULARES | | | IRREGULARES |
|---|---|---|---|
| **llegar** | **vender** | **recibir** | **tener** |
| llegué | vendí | recibí | tuve |
| ………… | ………… | ………… | ………… |
| ………… | ………… | ………… | ………… |
| llegamos | vendimos | recibimos | tuvimos |
| ………… | ………… | ………… | ………… |
| ………… | ………… | ………… | ………… |

| **comprar** | **perder** | **escribir** | **poner** |
|---|---|---|---|
| ………… | ………… | ………… | ………… |
| compraste | perdiste | escribiste | pusiste |
| ………… | ………… | ………… | ………… |
| ………… | ………… | ………… | ………… |
| comprasteis | perdisteis | escribisteis | pusisteis |
| ………… | ………… | ………… | ………… |

## 4. PRETÉRITO PERFECTO/ PRETÉRITO INDEFINIDO

**A.** Observa estas frases y fíjate con qué marcadores temporales usamos el Pretérito Perfecto y con cuáles el Pretérito Indefinido. Colócalos en el cuadro.

- **Hoy** hemos ido a la playa, pero no nos hemos bañado.
- **Esta mañana** he visto a tu hermano en el autobús.
- **Ayer** fui al cine y vi una película muy buena.
- **Esta semana** he trabajado mucho, estoy cansadísimo.
- **El año pasado** fui de vacaciones a Mallorca.
- **Nunca** he ido a un partido de fútbol, ¿tú sí?
- **¿Ya** has probado el gazpacho de aquí? Es buenísimo.
- Ha estado **varias veces** en casa de su novio pero **todavía no** ha conocido a sus padres.
- **El lunes** fui al cine con Julia y **el martes** fuimos a ver una exposición; o sea, que **esta semana** la he visto dos veces.
- ¿Habéis estado **alguna vez** en el desierto?
- **En el año 1999** acabó sus estudios y **en el 2000** entró a trabajar en una compañía aérea.
- **Últimamente** Sara y Luis han estado muy ocupados.

| Pretérito Indefinido | Pretérito Perfecto |
|---|---|
| | |

**B.** ¿Con qué tiempos se usan estos marcadores: con Pretérito Indefinido (PI) o con Pretérito Perfecto (PP)?

| | |
|---|---|
| ☐ anoche | ☐ el viernes (pasado) |
| ☐ anteayer | ☐ estas (últimas) semanas |
| ☐ este mes | ☐ este año |
| ☐ el 23 de julio de 1765 | ☐ el 1 de enero |
| ☐ el jueves (pasado) | ☐ estos (últimos) meses |
| ☐ el miércoles (pasado) | ☐ la semana pasada |

**C.** Ahora, observando todos las formas de Pretérito Perfecto de las frases anteriores, puedes completar el cuadro de su conjugación.

### PRETÉRITO PERFECTO

| (yo) | he | |
|---|---|---|
| (tú) | …………… | |
| (él/ella/usted) | …………… | |
| (nosotros/nosotras) | …………… | + Participio |
| (vosotros/vosotras) | …………… | |
| (ellos/ellas/ustedes) | …………… | |

# 5. PRONOMBRES DE OD

**A.** Imagina de qué pueden estar hablando.

- Cuando **las** miras bien, ves que son falsas.
- Hoy **lo** he llevado al mecánico.
- **La** compré en Madrid, en una galería muy buena.
- **Los** quiero vender, no me gustan nada.
- **Lo** llevé al parque, allí empezó a correr y se perdió.
- Cuando **las** conocí me parecieron muy inteligentes.
- No **la** he roto yo. El último que **la** usó fue Luis.
- No **los** encuentro. El verano pasado me **los** puse mucho y en septiembre **los** guardé en el armario.

**B.** Ahora coloca en el cuadro los pronombres correspondientes.

| Masculino singular | Femenino singular | Masculino plural | Femenino plural |
|---|---|---|---|
|  |  |  |  |

# 6. SER/ESTAR

**A.** ¿Qué verbo es el adecuado en cada caso? ¿Es o está?

|  | es | está |  |
|---|---|---|---|
|  | ❏ | ❏ | colombiano |
|  | ❏ | ❏ | muy contento |
|  | ❏ | ❏ | de Cartagena |
|  | ❏ | ❏ | ingeniero |
|  | ❏ | ❏ | en la cocina |
|  | ❏ | ❏ | un hombre muy simpático |
|  | ❏ | ❏ | un profesional excelente |
| Carlos | ❏ | ❏ | hermano de Luisa |
|  | ❏ | ❏ | preocupado por su trabajo |
|  | ❏ | ❏ | trabajando mucho |
|  | ❏ | ❏ | de pie |
|  | ❏ | ❏ | muy inteligente |
|  | ❏ | ❏ | cansado |
|  | ❏ | ❏ | amigo mío |

**B.** Haz ahora una pequeña descripción de una persona que conoces bien. ¿Quién es? ¿Qué relación tiene contigo? ¿Qué está haciendo actualmente? ¿Como es físicamente? ¿Y de carácter?

# 7. PLANES

**A.** En este artículo, que aparece incompleto, algunas personas cuentan qué planes tienen para sus próximas vacaciones. ¿Qué crees que van a hacer? Coméntalo con tu compañero.

## LAS OTRAS VACACIONES

No todos los españoles pasan sus vacaciones de la misma manera. Cada vez son más los que aprovechan las vacaciones para hacer otras cosas. Aquí tienes cuatro ejemplos.

**Koldo, 28 años, enfermero**
Soy de una ONG internacional de enfermeros y

**Sara, 31 años, abogada**
Voy a pasar los meses de verano en el apartamento

**Enrique, 21 años, estudiante**
Mis padres se van de vacaciones durante los meses de

**Pepa, 39 años, ama de casa**
Vamos a pasar las vacaciones en la casa del pueblo

**C.** Ahora haz preguntas a tus compañeros para saber quién va a hacer estas cosas. También puedes usar **nadie**.

................. va a volver a su país la semana que viene.
................. va a pasar una o dos semanas más en España.
................. va a ir a clases de español en su país.
................. me va a escribir un e-mail de vez en cuando.
................. va a volver a España el año que viene.
................. va a quedarse a vivir en España.

 **CD 15** **B.** Escucha y comprueba tus hipótesis.

## 8. PENÉLOPE

**A.** Penélope Cruz es una actriz española conocida internacionalmente. En parejas, imaginad que tenéis la oportunidad de hacerle una entrevista. Elegid entre las siguientes preguntas las cuatro que os parecen más interesantes.

1. ¿Cómo eres?
2. ¿Qué planes tienes para el futuro?
3. ¿De cuál de tus trabajos estás más satisfecha?
4. ¿Te gusta vivir en Hollywood?
5. ¿Dónde prefieres trabajar: en Estados Unidos o en España?
6. ¿Has pensado tener un hijo?
7. ¿Qué haces para estar en forma?
8. ¿Te consideras una estrella?

**B.** Ahora leed la entrevista. ¿Podéis encontrar las respuestas a vuestras preguntas?

# Penélope Cruz
### "No he perdido la ilusión"

Penélope Cruz, Pe para lo amigos, es hoy la actriz española más conocida internacionalmente. Vive y trabaja entre España y Estados Unidos. En esta entrevista nos habla de su vida y de sus proyectos.

**¿Cómo es vivir en Hollywood?**
Depende del tipo de vida que tienes. Yo vivo como todo el mundo, llevo una vida bastante normal. Hay días, como hoy, con tantas cámaras y fotógrafos, en los que tengo la impresión de vivir en un circo... pero mi vida en realidad es bastante sencilla.

**¿Cuáles son tus planes y proyectos más próximos?**
Durante los últimos años no he parado, he trabajado mucho, casi no he tenido vacaciones. Por eso he decidido tomarme un tiempo para hacer otras cosas: descansar, dedicarme a la fundación con la que colaboro... Para el próximo año tengo varias propuestas para trabajar en Europa y en Estados Unidos.

**¿Te gusta más trabajar en Estados Unidos o en España?**
En los dos lugares se trabaja de manera diferente. Me gusta trabajar en España porque me siento en casa pero en Estados Unidos me tratan muy bien. En los dos sitios he hecho proyectos muy interesantes, tanto desde el punto de vista personal como profesional.

**¿Cómo te defines a ti misma?**
Creo que soy una persona que no ha perdido la ilusión. Tengo una familia que me ayuda a no perder la humildad, que es algo que valoro mucho en las personas. Soy Tauro muy, muy Tauro y creo que es difícil definirse a sí mismo, casi imposible.

## 9. FLAMENCO

**A.** ¿Conoces a algún artista del mundo del flamenco? Coméntalo con tu compañero.

- Yo tengo un disco de Camarón de la Isla.
- Pues yo no sé casi nada sobre el flamenco.

**B.** Joaquín Cortés es un famoso bailarín. Con sus espectáculos de danza ha llevado el flamenco por todo el mundo. Lee la información que aparece en esta página web y escribe un título para cada sección.

Dirección: www.joaquincortes.com

Página inicial de actualidad | Apple | iTools | Soporte de Apple | Apple Store | Productos para Mac

Favoritos | Historial | Buscar | Álbum | Marcador de páginas

# JOAQUÍN CORTÉS

Joaquín Cortés nació en 1969 en Córdoba. Vivió con sus abuelos hasta que, a los once años, se trasladó al popular barrio madrileño de Lavapiés. Su tío Cristóbal Reyes, bailarín profesional, le convenció para empezar clases de danza a los doce años. A los quince años entró en el Ballet Nacional de España y empezó a viajar por todo el mundo.

En 1990 dejó la compañía para trabajar solo. Durante los años siguientes su actividad fue muy intensa: creó la coreografía de *Carmen* para la Arena de Verona, formó parte del montaje del clásico *Don Quijote* junto al Ballet de Caracas, fue artista invitado en el Festival Flamenco de Verano de Tokio y actuó en diversas galas junto a grandes figuras de la danza como Maya Plisetskaya o Peter Schauffuss. En 1992 Cortés fundó su propia compañía, el Joaquín Cortés Ballet Flamenco. Con su primer espectáculo, *Cibayí*, viajó por Japón, Francia, Italia, Venezuela y Estados Unidos. Pero la popularidad internacional llegó en 1995 con *Pasión Gitana*, un homenaje a la cultura flamenca con una visión atrevida y moderna.

Su primer trabajo en el cine fue en la película *La flor de mi secreto* de Almodóvar. También participó en el documental *Flamenco* del prestigioso director Carlos Saura y en *Gitano*, de Manuel Palacios, junto a la modelo Laetitia Casta.

"No hay que bailar para la crítica sino para la gente y para ti mismo."
"Gracias a mí cada vez hay más niños aprendiendo a bailar."
"Tengo que estudiar inglés. Actualmente no hablar inglés es un delito."

Zona de Internet

## 10. ESTOY ENAMORADA

En el consultorio de una revista han publicado la carta de una lectora. ¿En qué tipo de revista crees que ha aparecido? ¿Estás de acuerdo con el consejo de la especialista? Coméntalo con tu compañero.

*Tengo 17 años. Hace un año me enamoré de mi vecino, que tiene 26. Mi familia se opone a nuestra relación porque soy demasiado joven. Él me ha propuesto vivir juntos pero me da miedo tener que romper la relación con mi familia. Por otra parte, no sé si es justo para mi novio tener que esperar. ¿Qué puedo hacer?*

*Joven enamorada*

Muchas familias tienen miedo cuando descubren que sus hijas han crecido y quieren salir de casa. Sin embargo, estoy de acuerdo con tu familia: eres demasiado joven para comprometerte. Hay todo un mundo ahí fuera que debes conocer antes de poder estar segura de que quieres a ese chico. Los hombres mayores a veces resultan muy atractivos para algunas jovencitas pero creo que, a tu edad, debes salir con amigas, con chicos de tu edad y plantearte un futuro profesional antes de tomar cualquier decisión definitiva. Recuerda que eres muy joven y que tienes mucho tiempo por delante.

- Creo que es de una revista de adolescentes.
- Seguro. La chica que escribe es muy joven.
- ¿Y qué te parece el consejo?

## 11. LA REVISTA

**A.** Mira el sumario de esta revista. En pequeños grupos escoged una sección (o más si tenéis tiempo) porque vamos a publicar la revista de la clase. A la derecha, tenéis indicaciones que os pueden servir de ayuda.

**ENTREVISTA.** Vais a preparar una entrevista a un personaje de la escuela o a alguien famoso. Anotad o inventad las respuestas del entrevistado.

**CURIOSIDADES.** ¿Qué cosas divertidas les han pasado estos días a los compañeros de la clase? También podéis inventar un fin de semana típico de un compañero en la ciudad donde estamos, o el de un personaje famoso.

**BIOGRAFÍAS.** Vais a preparar la biografía de uno de vosotros. Recordad qué sabéis de cada uno y decidid quién puede tener la vida más "interesante", (el que ha viajado más, el que ha tenido más trabajos diferentes o más relaciones...). También podéis crear una biografía imaginaria o la de un personaje popular.

**DECORACIÓN.** ¿Qué compañero tiene el mejor alojamiento de la clase? ¿Quién ha visitado la casa más bonita? ¿Cómo es? ¿Cómo está decorada? ¿Qué tipo de muebles hay? Si queréis, también podéis describir la casa de un millonario o de un famoso.

**RECETAS.** Podéis escribir la receta de un plato típico de la zona donde estáis. También podéis escribir una receta de vuestro país.

**CONSULTORIO del aprendiz de español.** ¿Cuáles son los problemas y las dificultades de la clase con el español? Haced una pequeña lista de problemas típicos y de posibles soluciones.

**AGENDA.** Aquí podéis incluir información y comentarios de películas, conciertos, espectáculos, libros, etc. Y también sobre las posibilidades de ocio en la ciudad donde estamos.

**B.** Elaborad vuestra sección o secciones y redactadla en una hoja. Vuestro profesor las recogerá para poder editar la revista. Podéis acompañar vuestro texto con alguna foto o imagen.

# VIAJAR

## 12. MAR O MONTAÑA

**A.** ¿Qué plan prefieres para un fin de semana? ¿Ir a la costa o a la montaña? Aquí tienes información sobre seis espacios naturales en España. En grupos decidid cuál os gustaría visitar y por qué.

**PARQUE NACIONAL DE LOS PICOS DE EUROPA**
Es el mayor Parque Nacional de Europa y abarca tres comunidades: Asturias, Cantabria y Castilla y León. Aquí se hace el queso Cabrales. Aunque es el hábitat natural del oso pardo, estos picos ofrecen la posibilidad de practicar alpinismo, senderismo, deportes de invierno, acuáticos... El turismo está bien organizado, con buenos accesos y con muchos hoteles y refugios.

**PARQUE NACIONAL DE SIERRA NEVADA**
En la provincia de Granada se encuentra el macizo montañoso más alto de la península. Alberga una de las estaciones de esquí más importantes de Europa, en la que se pueden practicar todo tipo de deportes de invierno durante el otoño, el invierno y los primeros días de la primavera. No es difícil ver aves como buitres, águilas y halcones.

**PARQUE NACIONAL DE GARAJONAY**
Declarado patrimonio natural de la humanidad por la UNESCO. Situado en las cumbres más altas de la isla de La Gomera (Canarias), este espacio se encuentra gran parte del año cubierto por nieblas y nubes que proporcionan un ambiente húmedo y con temperaturas estables. En este espacio conviven especies de plantas protegidas y exclusivas del parque. Hay visitas y excursiones organizadas con guías profesionales.

## Espacios naturales

España fue uno de los primeros países europeos que creó parques nacionales. En la actualidad la Red de Parques Nacionales está integrada por trece áreas de interés natural y cultural. Además, existen otros espacios protegidos (parques naturales, reservas naturales, etc.). En la actualidad hay algo más de 700 espacios gestionados por las diferentes comunidades autónomas.

**PARQUE NATURAL DE LAS ISLAS CÍES**
El archipiélago de las Cíes está situado en la entrada de la Ría de Vigo. Está formado por tres islas y por una serie de islotes menores. Es un importante refugio de aves como la gaviota. Su vegetación y la variedad de sus paisajes hacen de estas islas uno de los enclaves naturales más importantes de Galicia. Las visitas están controladas y solo se admite una determinada cantidad de visitantes por día.

**PARQUE NATURAL DE LA ALBUFERA DE VALENCIA**
Es una de la zonas húmedas más importantes de la Península Ibérica. Está formada por una gran llanura rodeada de elevaciones y separada del mar por grandes líneas de dunas. Hay diversidad de ambientes en el parque: playa, lago, dunas, arrozales... Las mejores épocas para visitarlo son la primavera y el invierno. Es una reserva para aves migratorias y para muchas especies vegetales.

**PARQUE NATURAL DE CABO DE GATA-NÍJAR**
La Sierra de Cabo de Gata constituye el macizo de origen volcánico más importante de la Península Ibérica. La costa se compone de acantilados muy escarpados y erosionados por el mar, extensas playas desiertas, pequeñas calas y dunas. Se puede visitar el parque a pie, en bicicleta o a caballo y practicar la vela y el windsurf. La época ideal para visitarlo son los meses de febrero, marzo y de septiembre a noviembre.

**B.** ¿Existen parques similares en tu país? ¿Cuál es el más famoso? ¿Has ido a alguno?

→ **MÁS**

# 1. EL ESPAÑOL Y TÚ

**1.** Completa el texto conjugando en Presente los infinitivos del recuadro.

vivir   levantarse   tener

desayunar   estudiar   ver   hablar

querer   leer   trabajar (2)

Barbara Schneider .................... 38 años y hace cuatro años que .................. en Oviedo. Es profesora de alemán y .................... en una escuela de idiomas. Tiene las mañanas libres y por eso .......................... un poco tarde y ................ en un bar. .................... toda la tarde hasta las ocho y por las noches ...................... un poco de español, ................. la tele y .................., especialmente novelas de ciencia ficción. .................... muy bien español y le gusta mucho España. Todavía no ..................... volver a Alemania.

**2.** ¿A qué hora haces normalmente estas cosas?

1. levantarse: Me levanto a las...
2. desayunar: ...................................................
3. salir de casa: ..............................................
4. llegar al trabajo / a la escuela: ....................
   ........................................................................
5. comer: ...........................................................
6. salir del trabajo / de la escuela: ....................
   ........................................................................
7. cenar: ............................................................
8. acostarse: ......................................................

**3.** Unos estudiantes nos han explicado los motivos por los que estudian español. Completa las frases con **porque** o **para**.

Yo estudio español...

1. ................ tengo amigos en España.
2. ................ conseguir un trabajo mejor en mi país.
3. ................ tengo un examen en la universidad.
4. ................ pienso viajar por toda América.
5. ................ entender las películas de habla española.
6. ................ quiero pasar un tiempo en Argentina.
7. ................ quiero trabajar en una empresa española.
8. ................ mi novio es venezolano.

**4.** ¿Qué recomiendas para solucionar estos problemas con el español?

tienes que
lo mejor es
va muy bien

1. Para practicar los verbos
2. Para entender a la gente
3. Para hablar con fluidez
4. Para aprender vocabulario
5. Para no tener problemas con el orden de las palabras
6. Para pronunciar mejor
7. Para escribir correctamente

buscar palabras en el diccionario.
traducir.
leer mucho.
repetir muchas veces la misma frase.
escuchar canciones y ver la tele.
hablar con españoles.
hacer muchos ejercicios.
perder el miedo y hablar mucho.

Para aprender vocabulario va muy bien leer mucho y buscar palabras en el diccionario.

........................................................................
........................................................................
........................................................................
........................................................................
........................................................................
........................................................................
........................................................................
........................................................................
........................................................................
........................................................................
........................................................................
........................................................................

**5.** Subraya la opción correcta en cada una de las siguientes frases.

1. Me **cuesta/cuestan** aprender los verbos en español.
2. Para aprender vocabulario **va/van** muy bien leer.
3. Me **cuesta/cuestan** algunos sonidos del español como la "jota" y la "erre".
4. A Peer y a mí nos **cuesta/cuestan** mucho entender a la gente.
5. Nosotros creemos que para recordar una palabra **va/van** bien escribirla.
6. A casi todos nos **cuesta/cuestan** hablar rápido.
7. Para estudiar **va/van** muy bien tener una gramática.
8. A Petra también le **cuesta/cuestan** las palabras muy largas.

**6.** Completa estas frases según tus propias experiencias.

1. Me siento ridículo/a cuando .......................................
...............................................................................

2. Me siento muy bien cuando .......................................
...............................................................................

3. Me siento seguro/a cuando .......................................
...............................................................................

4. Me siento fatal cuando .......................................
...............................................................................

5. Me siento inseguro/a cuando.......................................
...............................................................................

# 2. HOGAR, DULCE HOGAR

**1.** ¿En qué parte de la casa están normalmente estas cosas? Escríbelo.

plantas
sillas   sillón   mesillas de noche   mesa
cafetera
sofá   lámpara   frigorífico   cortinas   lavadora
armario   estantería   cuadros
bañera   equipo de música   horno   espejo   televisión

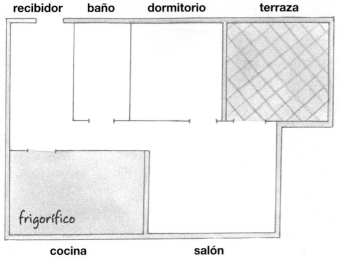

recibidor   baño   dormitorio   terraza

frigorífico

cocina   salón

**2.** Clasifica las palabras anteriores en femeninas o masculinas. Añade el artículo indeterminado.

| masculino | femenino |
|---|---|
| un sofá | una lámpara |

**3.** ¿Dónde prefieres vivir: en un piso en el centro de la ciudad o en una casa en las afueras? Escribe al menos cinco razones.

Prefiero vivir en ..................... porque ...............................
...............................................................................
...............................................................................
...............................................................................
...............................................................................

**4.** Imagina que quieres compartir tu piso. Haz una descripción para colgar en el tablón de anuncios de la escuela.

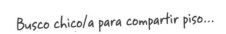

Busco chico/a para compartir piso...

**5.** Estas son las casas de Pepe y Julio. Escribe al menos cinco frases comparándolas.

## PEPE
piso de 90 m²
300 euros al mes
3 habitaciones
terraza 25 m²
2 balcones
1 baño
mucha luz
a 10 minutos del centro

## JULIO
ático de 100 m²
500 euros al mes
4 habitaciones
terraza de 20 m²
2 balcones
2 baños
mucha luz
a 30 minutos del centro

La casa de Pepe tiene menos habitaciones que la de Julio.

......................................................................

......................................................................

......................................................................

......................................................................

......................................................................

......................................................................

......................................................................

**6.** ¿Qué diferencias has observado entre España y tu país respecto a los siguientes temas? Escríbelo.

1. el clima: En España hace más calor que en mi país.

2. los horarios: ...............................................

......................................................................

3. el transporte público: .................................

......................................................................

4. los precios: ...............................................

......................................................................

5. la comida: ...............................................

......................................................................

6. la gente: ...............................................

......................................................................

# 3. YO SOY ASÍ

**1.** Fíjate en Manuel, Toni, Alicia y Reme. ¿Qué ropa lleva cada uno? Márcalo en el cuadro.

| | Manuel | Toni | Alicia | Reme |
|---|---|---|---|---|
| una gorra | | | | |
| una chaqueta | | | | |
| unos pantalones | | | | |
| una camiseta | | | | |
| una blusa | | | | |
| unos zapatos | | | | |
| unas sandalias | | | | |
| unas botas | | | | |
| unas zapatillas de deporte | | | | |
| un sombrero | | | | |
| un reloj | | | | |
| un jersey | | | | |
| unas gafas de sol | | | | |
| un vestido | | | | |
| una falda | | | | |
| unos pendientes | | | | |
| un bolso | | | | |
| unas medias | | | | |

**2.** Subraya las irregularidades de estos verbos. Luego, en la página siguiente, conjuga los verbos **conocer** y **vestirse**.

| | parecerse | medir |
|---|---|---|
| (yo) | me parezco | mido |
| (tú) | te pareces | mides |
| (él/ella/usted) | se parece | mide |
| (nosotros/nosotras) | nos parecemos | medimos |
| (vosotros/vosotras) | os parecéis | medís |
| (ellos/ellas/ustedes) | se parecen | miden |

|  | conocer | vestirse |
|---|---|---|
| (yo) | ..................... | ..................... |
| (tú) | ..................... | ..................... |
| (él/ella/usted) | ..................... | ..................... |
| (nosotros/nosotras) | ..................... | ..................... |
| (vosotros/vosotras) | ..................... | ..................... |
| (ellos/ellas/ustedes) | ..................... | ..................... |

**3.** Completa las frases con estas palabras.

abuelos    tío    tía    sobrinas

primo    cuñada    suegros    hermano

1. El hijo de mi tío es mi .....................................
2. La hermana de mi mujer es mi .............................
3. El hijo de tus padres es tu ..................................
4. Los padres de nuestra madre son nuestros ..................
5. El marido de su tía es su ...................................
6. Las hijas de mi hermano son mis ...........................
7. Los padres de tu marido son tus ...........................
8. La hermana de mi madre es mi ............................

**4.** Relaciona preguntas y respuestas.

1. ¿Quién es Juan?
2. ¿Cómo es tu prima?
3. ¿Quiénes son aquellos de azul?
4. ¿Qué lleva Penelope?
5. Aquella de negro, ¿quién es?
6. ¿Son los que están en la puerta?
7. ¿Quiénes son esas?
8. ¿Cómo es tu novio?
9. ¿Quién es tu madre?
10. ¿Y tú? ¿A quién te pareces?

a. Mis abuelos.
b. Alto, delgado, tiene los ojos verdes...
c. Sí, son ellos.
d. El de la chaqueta marrón.
e. Un vestido de piel marrón y unos zapatos de tacón.
f. Una compañera de la facultad.
g. Muy simpática.
h. ¿Las morenas? Mis hermanas.
i. A mi padre. Tenemos los mismos ojos.
j. Esa que está en la puerta.

1 ...  2 ...  3 ...  4 ...  5 ...  6 ...  7 ...  8 ...  9 ...  10 ...

**5.** Describe físicamente a estas personas. Escribe una frase para cada una.

Federica    Lola    Diego    Regina

Sara    Pol    Roberto    Alicia

1. Federica  *es rubia, lleva el pelo largo...*
2. Lola ...................................................................
3. Diego ..................................................................
4. Regina .................................................................
5. Sara ...................................................................
6. Pol ....................................................................
7. Roberto ...............................................................
8. Alicia .................................................................

# 4. ¿QUÉ QUERÉIS TOMAR?

**1.** ¿A qué infinitivos corresponden estos gerundios irregulares?

| GERUNDIO | | INFINITIVO |
|---|---|---|
| oyendo | → | ........................... |
| cayendo | → | ........................... |
| leyendo | → | ........................... |
| construyendo | → | ........................... |
| durmiendo | → | ........................... |
| diciendo | → | ........................... |
| vistiéndose | → | ........................... |
| sintiendo | → | ........................... |
| yendo | → | ........................... |
| viniendo | → | ........................... |

**2. Escribe las formas de los verbos que faltan.**

|  | tú | vosotros | usted | ustedes |
|---|---|---|---|---|
| saber | sabes | ................... | ................... | .............. |
| tener | .......... | tenéis | ................... | .............. |
| comprar | .......... | ................... | compra | .............. |
| vivir | vives | ................... | ................... | .............. |
| estar | .......... | ................... | ................... | están |
| ir | .......... | vais | ................... | .............. |
| ser | .......... | ................... | es | .............. |
| hacer | haces | ................... | ................... | .............. |
| querer | .......... | ................... | ................... | quieren |
| comprender | .......... | comprendéis | ................... | .............. |

**3. Completa las conversaciones con las frases del recuadro.**

> 1. Te llamo y quedamos.
> 2. ¿Cómo te va?
> 3. Venga
> 4. ¿Qué estás haciendo ahora?
> 5. ¡Cóbreme, por favor!
> 6. En este momento no salgo con nadie.
> 7. Y a mí póngame un café…
> 8. Es que me tengo que ir enseguida…
> 9. Yo estoy trabajando en la empresa de mi hermano
> 10. Deja, ya pago yo…

**1.**

● ..................................................................

○ Sí, un momento. Dos vinos y una ración de jamón… Pues son 10 euros.

● ¿10 euros? Tenga.

■ ..................................................................

● ¡Que no, hombre, que no!  Oiga, cóbreme a mí, ¡por favor!

**2.**

● Hola, buenas tardes, ¿qué desean?

○ ¿Qué quieres tomar?

■ Yo un cortado.

○ ..................................................................

● Un cortado y un café. ¿Desean alguna cosa más?

○ No, gracias.

■ Bueno, ¿y qué tal? ¿Cómo te va la vida?

○ Pues bien. No me puedo quejar…

■ .................................... ¿Has cambiado de trabajo?

○ Uy, sí. Hace un año. Ahora estoy trabajando para varias productoras de cine.

■ ¡Ah, qué bien!

○ Me encanta mi trabajo. ¿Y tú? ¿Qué haces?

■ ....................................y estoy muy bien.

○ ¿Y de novios qué tal?¿Estás saliendo con alguien?

■ Pues mira, no. ..................................................

**3.**

● Hombre, Fernando. ¡Tú por aquí! ............................

○ Bien. ¿Y tú qué tal?

● Pues bien… Venga, ¿qué quieres tomar?

○ Nada, gracias. ..................................................

● Venga hombre, tómate algo.

○ De verdad, que no puedo... que tengo prisa… Pero, oye, otro día, ¿eh? ..........................................

● .................................., pues nos vemos otro día…

○ ¡Adiós!

● ¡Adiós!

**4. ¿Qué dices en estos casos? Escríbelo.**

1. Deja, ya pago yo. Me tengo que ir enseguida. Te llamo.
..................................................................

2. ¿Y de amores qué tal? ¿Estás saliendo con alguien?
..................................................................

3. ¡Hombre! ¿Qué tal? ¿Cómo te va?
..................................................................

4. ¡Venga! ¿Qué quieres tomar?
..................................................................

5. Bueno, venga, te llamo un día de estos, ¿eh?
..................................................................

6. Me tengo que ir. Te llamo y quedamos.
..................................................................

7. Hola, buenos días, ¿qué desea?
..................................................................

8. Mira, este es Luis, un compañero de trabajo.
..................................................................

9. Estoy trabajando en un hospital. ¿Y tú qué haces?
..................................................................

10. ¡Manuel! ¡Cuánto tiempo sin verte!
..................................................................

**5.** Esta es una clase un poco especial. ¿Qué están haciendo? Escríbelo.

1. Vanesa  *se está pintando las uñas.*
2. Mateo ........................................................
3. Sam ...........................................................
4. Julia ...........................................................
5. Susan .........................................................
6. Hans ..........................................................
7. John ...........................................................
8. Cristina .......................................................
9. Yuri ............................................................
10. La profesora ..............................................

**6.** Escribe una postal a un amigo y cuéntale qué estás haciendo estos días en España.

Querido/a .................. :

_____

_____

_____

_____

**7.** ¿Tú o usted?

|  | tú | usted |
|---|---|---|
| 1. Deja, deja, ya pago yo. | ☐ | ☐ |
| 2. Cóbrame una caña, Pepe. | ☐ | ☐ |
| 3. Recuerdos a su familia. | ☐ | ☐ |
| 4. Mira, te presento a Ana. | ☐ | ☐ |
| 5. ¿Ocho euros? Tenga. | ☐ | ☐ |
| 6. Buenos días. ¿Qué desea? | ☐ | ☐ |

# 5. GUÍA DEL OCIO

**1.** Mira los anuncios de la *Guía del Ocio* de la página 42. Busca al menos un lugar...

1. que está abierto de martes a domingo: ............................
2. que abre de 13h a 2.30h: ...............................................
3. que los domingos está cerrado: .....................................
4. que los domingos abre a partir de las 20h: ....................
5. que tiene horario especial los sábados (abierto hasta las tres de la madrugada): ...............................................
6. donde hay karaoke: .......................................................
7. que es gratis los primeros jueves de mes: ......................
8. donde sirven cenas hasta las dos de la madrugada: .......
...........................................................................................
9. donde el menú cuesta menos de 12 euros: ....................
10. que ofrece dos exposiciones (una de arte románico y otra de pintura gótica): ...........................

**2.** Aquí tienes una serie de objetos. Imagina qué ha hecho con ellos Pedro y escribe, en la página siguiente, una frase para cada uno de ellos.

1. Ha tomado un refresco.
2. ....................................................................
3. ....................................................................
4. ....................................................................
5. ....................................................................
6. ....................................................................
7. ....................................................................
8. ....................................................................
9. ....................................................................
10. ..................................................................

**3.** ¿Qué dirías en cada una de estas situaciones?

1. A las dos un amigo te ha dicho: "Voy a comer". Ahora son las cuatro de la tarde. Tu amigo ha vuelto. ¿Qué le preguntas?

&#10003; a. ¿Ya has comido?
&#10003; b. ¿Has comido?

2. Tu amigo ha vuelto de un viaje a Londres. Tú sabes que no le gusta mucho la pintura. ¿Qué le preguntas?

&#10003; a. ¿Ya has visto la "National Gallery"?
&#10003; b. ¿Has visto la "National Gallery"?

3. No te gustan las películas de Almodóvar. Te preguntan: "¿Ya has visto la última película de Almodóvar?" Si tú no piensas ir, ¿qué respondes?

&#10003; a. No, no la he visto.
&#10003; b. No, todavía no la he visto.

4. Esta noche tienes una cena en tu casa. Un amigo se ofrece para ayudarte con las compras pero tú no necesitas ayuda. ¿Qué le dices?

&#10003; a. No, gracias. Ya lo he comprado todo.
&#10003; b. No, gracias. Lo he comprado todo.

5. Te gusta mucho la pintura. En Madrid te preguntan: "¿Ya has visitado el museo del Prado?" Si tú piensas ir, ¿qué respondes?

&#10003; a. No, no lo he visitado.
&#10003; b. No, todavía no.

**4.** Te ha tocado un viaje de 15 días en una paradisíaca isla caribeña. ¿Qué cosas vas a hacer allí?

Voy a tomar el sol todos los días.
....................................................................
....................................................................
....................................................................

....................................................................
....................................................................
....................................................................

**5.** Aquí tienes el diario de viaje de Carmen en Argentina. Subraya las experiencias (lo que ha hecho) y los planes (lo que va a hacer). Después, escríbelo en los cuadros.

_Jueves 14 de mayo. Buenos Aires_

Hace una semana que estamos en Argentina y me siento como en casa. No solo por el idioma, claro. La gente es muy agradable. Esta semana he comido más carne que en toda mi vida. Hoy he probado la cerveza argentina Quilmes; no está mal. Ya hemos visto lo que debe ver un turista aquí: la plaza de Mayo, la Casa Rosada, el barrio de San Telmo y el Caminito en el barrio de La Boca. Esta mañana he ido al cementerio de La Chacarita y he visitado la tumba de Carlos Gardel. Esta noche vamos a ver un espectáculo de tango en una tanguería de San Telmo. Dentro de un par de días nos vamos a ir a Ushuaia. ¡Por fin voy a ver el fin del mundo!

_Sábado 16 de mayo. Ushuaia_

¡Ya estamos aquí! La naturaleza es fascinante. Tan verde, tan pura... Hemos hecho una excursión en barco y he visto montones de focas (¡en vivo y en directo!). Como es verano, no hay pingüinos todavía. Esto es tan bonito que vamos a quedarnos un par de días más aquí y después vamos a ir en avión a Río Gallegos para ver el Perito Moreno. De allí vamos a hacer una excursión a Península Valdés para ver las ballenas. He recibido un correo electrónico de Cecilia que está también por aquí de vacaciones. Hemos quedado esta noche y nos va a presentar a su novio argentino.

| Experiencias | Planes |
|---|---|
| Ha comido mucha carne. | Va a ver un espectáculo de tango. |

# 6. NO COMO CARNE

## 1. Relaciona.

una barra
una lata
una docena
un paquete
un trozo
una tableta
una botella
un cartón
una caja
una bolsa

de café
de bombones
de vino
de queso
de huevos
de chocolate
de atún
de patatas fritas
de leche
de pan

## 2. ¿Sabes la receta de un plato fácil de preparar? Puede ser uno típico de tu país.

Ingredientes:

Modo de preparación:

## 3. Relaciona las preguntas con las respuestas.

1. ¿Donde están las naranjas?
2. ¿Cómo prefieres las fresas?
3. ¿Cómo haces la carne?
4. ¿Dónde compras el pollo?
5. ¿Cómo prefieres el salmón?
6. ¿Donde está el jamón?
7. ¿Dónde compras los huevos?
8. ¿Cómo tomas el café?
9. ¡Qué macarrones tan ricos!
10. No encuentro la sal.

a. Normalmente a la plancha.
b. Siempre las como con nata.
c. Lo tomo siempre solo.
d. Los compro en el súper.
e. Lo compro en el súper.
f. Casi siempre lo como al vapor.
g. Las he puesto en la nevera.
h. Los hago con mucho ajo.
i. La he dejado en el salón.
j. Lo he metido en el frigorífico.

1 ...   2 ...   3 ...   4 ...   5 ...   6 ...   7 ...   8 ...   9 ...   10 ...

## 4. Completa estas frases.

1. Mauro es muy simpático, y además ............................
2. Mauro no es muy simpático, pero ............................
3. La sopa no está buena, y además ............................
4. Esta sopa está buena, pero ............................
5. Vivo en un sitio muy bonito, y además ........................
6. Vivo en un sitio muy bonito, pero ............................
7. Hace un trabajo muy interesante, pero ........................
8. Hace un trabajo muy interesante, y además ................
9. Hace mucho deporte, y además ........................
10. Hace mucho deporte, pero ............................

## 5. Intenta averiguar a qué alimento se refieren estas descripciones. Después, describe **naranja, mayonesa, champán y chocolate.**

1. Es una fruta amarilla, no se come sola. Se usa en bebidas (por ejemplo, en el té). Se usa también para condimentar ensaladas y para cocinar: ...............................................

2. Es una cosa blanca que se pone en casi todas las comidas para darles más sabor. Casi siempre está en la mesa junto a la pimienta, el aceite y el vinagre: ...............

3. Es una bebida alcohólica, amarilla, que se toma fría y que tiene espuma. Se hace con cereales: ...............................

4. Es una fruta roja y pequeña. A veces se come con nata. También se usa para hacer mermelada, pasteles y helados: ...............................................

**naranja:**

**mayonesa:**

**champán:**

**chocolate:**

**6.** Las celebraciones son diferentes en cada país: bodas, cumpleaños, despedidas de soltero/a... ¿Qué tipo de celebraciones te gusta más? ¿Cómo se celebran en tu país?

En mi país...

# 7. UNA VIDA DE PELÍCULA

**1.** Completa el cuadro con los verbos que faltan.

|  | estudiar (-ar) | comer (-er) |
|---|---|---|
| (yo) | estudié | ..................... |
| (tú) | ..................... | comiste |
| (él/ella/usted) | estudió | ..................... |
| (nosotros/nosotras) | ..................... | comimos |
| (vosotros/vosotras) | estudiasteis | ..................... |
| (ellos/ellas/ustedes) | ..................... | comieron |

|  | vivir (-ir) | tener (irreg.) |
|---|---|---|
| (yo) | ..................... | ..................... |
| (tú) | ..................... | tuviste |
| (él/ella/usted) | vivió | ..................... |
| (nosotros/nosotras) | ..................... | tuvimos |
| (vosotros/vosotras) | vivisteis | ..................... |
| (ellos/ellas/ustedes) | ..................... | tuvieron |

**2.** Lee el texto sobre Pedro Almodóvar de la página 59 y responde a las preguntas.

1. ¿Cuántos años tiene Pedro Almodóvar?
.......................................................................

2. ¿Qué hizo en 1959?
.......................................................................

3. ¿Cuándo se fue a Madrid?
.......................................................................

4. ¿Fue a la universidad?
.......................................................................

5. ¿Por qué dejó su trabajo en Telefónica?
.......................................................................

6. Además de trabajar como administrativo, ¿qué otros trabajos hizo antes de ser director de cine?
.......................................................................

7. ¿Con qué película se hizo famoso en Estados Unidos?
.......................................................................

8. ¿Cuántas películas ha hecho Almodóvar hasta ahora?
.......................................................................

**3.** Completa las frases con información personal sobre tu pasado.

1. Empecé a estudiar español ...........................................
2. Hace un año ...............................................................
3. Viajé por primera vez a otro país ...............................
4. En 2002 ....................................................................
5. Nací en .....................................................................
6. Ayer ..........................................................................
7. ............................. fue la última vez que fui a una fiesta.
8. La semana pasada .....................................................
9. ................................................. estuve enfermo/a.
10. El sábado pasado .....................................................

**4.** Completa las frases con **hace, desde, hasta, de... a...**

1. Viví en Milán ............... 1997 ............... 1999.
2. Estudio español .............. septiembre.
3. Encontré trabajo .............. dos meses.
4. Trabajé como recepcionista .............. enero ............. julio de 2001.
5. Estuve en Mallorca .............. la semana pasada.
6. Terminé la carrera .............. cuatro meses.
7. Te esperé en el bar .............. las siete.
8. Salgo con Miriam ............... enero.

**5.** Haz un resumen de los hechos más importantes de tu vida. Puedes utilizar **...después, al/a la ... siguiente, a los/las..., durante, desde, hace, hasta, de... a...**

**6.** Chavela Vargas es toda una leyenda de la canción mexicana. Lee su biografía y complétala conjugando los verbos entre paréntesis en el Pretérito Indefinido.

## CHAVELA VARGAS

(NACER) ......................... en Costa Rica en 1919, pero de muy niña (IRSE) ..................... a vivir a México con su familia. Desde muy pronto (SENTIRSE) ........................ atraída por la cultura indígena mexicana, (APRENDER) ........................ sus ritos y ceremonias, su lenguaje y (EMPEZAR) ........................ a vestirse como ellos. La primera vez que (ACTUAR) ........................ en público, lo (HACER) ...................... vestida con un poncho indígena. (EMPEZAR) ........................ a cantar en los años 50 de la mano de otro mito de la ranchera: José Alfredo Jiménez, y su popularidad (ALCANZAR) ..................... la cumbre en los años 60 y 70. En esos años, (TENER) ...................... una gran amistad con personajes como el escritor Juan Rulfo, el compositor Agustín Lara o los pintores Frida Kahlo y Diego Rivera que la (CONSIDERAR) ........................ su musa. Era la época de las giras por el Teatro Olimpia de París, el Carnegie Hall de Nueva York y el Palacio de Bellas Artes de México, las fiestas y las grandes cantidades de tequila. A mediados de los 80 la cantante (CAER) .............. en el alcoholismo y (PERMANECER) ................... alejada de los escenarios durante 12 años. (REGRESAR) ............................ gracias al cine, de la mano del director español Pedro Almodóvar: (COLABORAR) ....................... en la bandas sonoras de las películas *Kika* y *Carne trémula*, e (HACER) ................. una breve aparición en *La flor de mi secreto*. En 2002 (PUBLICARSE) ............................. su autobiografía que se titula *Y si quieres saber de mi pasado*.

# 8. ME GUSTÓ MUCHO

**1.** Este es el diario de Ricardo. Léelo y completa las frases usando **parecer, gustar, encantar...**

Martes, 6 de marzo

Facultad: clase de historia con Miralles, el profesor nuevo, muy interesante.

He intentado leer un artículo sobre la Bolsa, ¡qué cosa tan aburrida!

Exposición en el Centro de Arte Moderno, fotografías abstractas, un horror.

Al cine con Alberto: "El pianista" de Roman Polansky. Buenísima, la mejor película que he visto este año.

Cena en un restaurante nuevo del Centro, el Bogavante azul, el local es muy bonito, y la comida no está mal, pero nada especial. Hemos ido Alberto, su novia Azucena y una amiga suya, Margarita... guapa, inteligente, simpática.

MARTES 6 DE MARZO:

Fue a clase de Historia. *Le pareció interesante.*

Intentó leer un artículo de economía. ...............................

Fue a una exposición de fotografía. ...............................

Fue al cine a ver *El pianista*. ...............................

Fue a un restaurante nuevo. ...............................

Conoció a la amiga de Azucena. ...............................

**2.** Relaciona estas frases con su continuación lógica.

1. Ana y Andrés me cayeron muy bien,
2. Los cuadros de la exposición no me gustaron mucho,
3. El restaurante me encantó,
4. La hermana de Calixto me cayó muy bien,
5. El museo no me gustó mucho,
6. Me pareció mal lo que dijo Arturo,

a. no son especialmente buenos.
b. son muy simpáticos.
c. es un maleducado.
d. es muy divertida.
e. no es muy interesante.
f. la comida es buena y el ambiente, muy agradable.

1 ...    2 ...    3 ...    4 ...    5 ...    6 ...

**3.** Coloca los verbos en la forma más adecuada: Pretérito Perfecto o Pretérito Indefinido.

1.
- Ayer Edith y yo (IR) ......................... al teatro.
- ¿Qué (VER) ......................... ?
- Una obra muy divertida de Lope de Vega. Nos (ENCANTAR) .........................

2.
- Andrés, ¿(ESTAR) ...................... alguna vez en Granada?
- No, nunca. (ESTAR) ......................... muchas veces en Andalucía pero nunca en Granada.

3.
- ¿Que tal ayer? ¿Qué os (PARECER) ......................... la exposición? ¿Os (GUSTAR) ......................... ?
- A mí no me (GUSTAR) ......................... demasiado.
- A mí tampoco me (PARECER) ......................... muy buena, la verdad.

4.
- El mes pasado mi marido y yo (IR) ......................... de vacaciones a Argentina.
- ¿Y qué tal?
- Fantástico. (PASARLO) ......................... muy bien.

5.
- ¿Conocéis el restaurante Las Tinajas?
- Yo no, no (ESTAR) ......................... nunca.
- Yo sí, (IR) ......................... hace dos semanas y no me (GUSTAR) ...................... nada. Además, me (PARECER) ......................... carísimo.

6.
- ¿Y tú, Marcos, (ESTAR) ......................... alguna vez en el museo Guggenheim?
- Sí, sí que (ESTAR) ...................... . (ESTAR) ................... por primera vez cuando lo inauguraron y luego (VOLVER) ......................... hace dos años.

7.
- ¿Qué te (PARECER) ...................... el concierto de ayer?
- Un rollo. No me (GUSTAR) ......................... nada.

8.
- ¿Qué tal el viernes? ¿Adónde (IR) ......................... ?
- (IR) ......................... a un bar del centro, El Paquito.
- Lo conozco, me encanta. ¿Qué te (PARECER) ..............?
- Me (ENCANTAR) ......................... Es genial.

**4.** ¿Qué te gustaría hacer...

1. ... hoy?

Me gustaría ...........................................................

2. ... la próxima semana?

.............................................................................

3. ... después de este curso de español?

.............................................................................

4. ... el año que viene?

.............................................................................

5. ... dentro de diez años?

.............................................................................

6. ... después de jubilarte?

.............................................................................

**5.** Haz una breve descripción de tu libro, tu disco y tu película favoritos.

| **LIBRO** |
| --- |
| **Título:**<br>**Escritor:**<br>**Descripción:** |

| **DISCO** |
| --- |
| **Título:**<br>**Autor:**<br>**Descripción:** |

| **PELÍCULA** |
| --- |
| **Título:**<br>**Director:**<br>**Descripción:** |

# 9. ESTAMOS MUY BIEN

**1.** Lee esta carta dirigida al consultorio de la revista *Salud* y escribe una respuesta. ¿Qué le recomiendas al chico que la ha escrito?

¡Hola!

Soy un chico de 27 años y les escribo para pedirles consejo. El año pasado tuve un accidente de coche y estuve más de dos meses en el hospital. Luego pasé cuatro meses más en casa, sin ir al trabajo, sin salir mucho y... ¡¡¡engordé 20 kilos!!! Ahora estoy bastante recuperado del accidente (solo tengo algunos dolores de espalda), pero 20 kilos de más son muchos kilos. He intentado adelgazar de todas las maneras posibles: he comprado ese aparato que anuncian en la televisión para hacer gimnasia en casa, he tomado unas infusiones adelgazantes a base de hierbas naturales y todos los días, antes del bocadillo de las 11 y antes del bocadillo de la tarde, tomo uno de esos batidos de fresa que dicen que adelgazan... Pero nada. ¿Qué puedo hacer?

**2.** Elige la forma adecuada en cada caso.

1. No se encuentra bien, ......................... la cabeza.

| a. tiene dolor de | b. le duelen | c. le duele |
|---|---|---|

2. Mónica no se encuentra bien, ha venido en barco de Mallorca y está muy .............................

| a. mareado | b. mareada | c. mareo |
|---|---|---|

3. Ha caminado cinco horas con unos zapatos nuevos. Ahora .................... los pies.

| a. tiene dolor de | b. le duelen | c. le duele |
|---|---|---|

4. ¿Tienes una aspirina? ¡...................................... cabeza!

| a. Tengo dolor de | b. Me duelen | c. Me duele |
|---|---|---|

5. Han comido mucho y ahora a los dos ......... el estómago.

| a. tiene dolor de | b. les duele | c. le duelen |
|---|---|---|

6. Mario tiene que ir al médico, está muy ........................

| a. estresante | b. estresado | c. estrés |
|---|---|---|

**3.** Completa las frases con el Presente de **ser** o **estar**.

1. Alicia ...................... una mujer extraordinaria.

2. No quiero salir. ......................... cansado.

3. ¡La ventana ................ abierta! ¿Quién la ha dejado así?

4. ¿Dónde ......................... el jersey amarillo? ................ el que más me gusta y no lo encuentro.

5. ¿Quién ................ esa chica que .............. sentada ahí?

6. La casa ......................... muy desordenada, mis hijos ..................... un desastre.

7. Mi jefa ................ una mujer muy dinámica pero trabaja demasiado y ................ siempre cansada.

8. .................... un pueblo muy bonito pero ................ muy lejos de la ciudad.

**4.** Aquí tienes un artículo sobre un deporte tradicional vasco. Léelo y relaciona cada una de las cuatro fases con la ilustración correspondiente.

## LEVANTAMIENTO DE PIEDRA

**E**l levantamiento de piedra es uno de los deportes tradicionales vascos más espectaculares. Consiste en levantar piedras de diferentes formas y tamaños y colocarlas sobre los hombros. No es solo una prueba de fuerza, sino también agilidad, flexibilidad y velocidad.

**El levantamiento se puede dividir en cuatro fases:**

1. El levantador agarra la piedra y empieza a levantarla.

2. Seguidamente, coloca la piedra sobre sus piernas tocando su estómago. Para mantener el equilibrio, durante estas dos primeras fases, el levantador no está totalmente de pie.

3. En la tercera fase el levantador agarra la piedra por debajo. El peso de esta pasa de sus piernas a sus brazos.

4. En la última fase el deportista sube la piedra hasta el hombro. Primero, la apoya en su pecho y luego la empuja hacia el hombro en movimientos cortos.

**El actual récord del mundo está en 327 kg.**

**5.** Intenta adivinar de qué deporte se habla en cada descripción. Puede haber más de una respuesta posible. A continuación, crea cuatro descripciones como las anteriores sobre otros deportes.

1. Normalmente se practica sentado: .............................

2. Se juega en equipo. Para tocar el balón se pueden usar las manos y los pies: ............................

3. Se juega individualmente o por parejas, para lanzar la pelota se usa una cosa de madera o de fibra y son necesarias varias paredes: ...............................

4. Se juega al aire libre, en grandes extensiones. Para lanzar la pelota se usa un palo y se repite la misma operación en 18 lugares diferentes: ............................

5. Se juega en equipo. Se puede jugar en pista cubierta o en la playa. El balón solo se puede tocar con las manos: ...............................

**6.** Coloca en este dibujo los nombres de las partes del cuerpo señaladas. Puedes utilizar el diccionario.

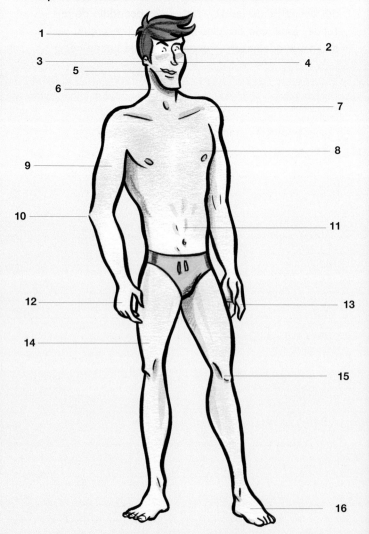

# 10. FIN DE CURSO

**1.** En este curso has hecho muchas cosas. ¿Qué tipo de actividades te ha gustado más? Puntúalas del 1 al 5.

Las actividades sobre cultura ☐

Los deberes ☐

Las audiciones ☐

Los ejercicios en parejas ☐

Los ejercicios en grupo ☐

Las explicaciones gramaticales ☐

La lectura de textos ☐

**2.** Responde a las siguientes preguntas y después coméntalo con tus compañeros.

¿Has descubierto muchas cosas nuevas sobre España? ¿Cuáles?

......................................................................
......................................................................
......................................................................
......................................................................

¿Has aprendido mucha gramática? ¿Qué?

......................................................................
......................................................................
......................................................................
......................................................................
......................................................................

¿Has mejorado tu español? ¿Cómo?

......................................................................
......................................................................
......................................................................
......................................................................
......................................................................

¿Lo has pasado bien? ¿Cuándo?

......................................................................
......................................................................
......................................................................
......................................................................

**3.** ¿Sabes hacer estas cosas en español?

1. Hablar de qué cosas haces para aprender y mejorar tu español, y de las dificultades que tienes.

   **sí** ☐       **no** ☐

2. Describir tu casa, las habitaciones, los muebles, etc.

   **sí** ☐       **no** ☐

3. Describir físicamente a una persona.

   **sí** ☐       **no** ☐

4. Saludar, presentar y despedirte en situaciones sociales.

   **sí** ☐       **no** ☐

5. En un bar, pedir, invitar y pagar.

   **sí** ☐       **no** ☐

6. Hablar de acontecimientos pasados.

   **sí** ☐       **no** ☐

7. Hablar de tus próximos proyectos.

   **sí** ☐       **no** ☐

8. Explicar cómo preparas un plato.

   **sí** ☐       **no** ☐

9. Dar información personal.

   **sí** ☐       **no** ☐

10. Hablar de hábitos alimentarios.

    **sí** ☐       **no** ☐

11. Hablar de tu salud.

    **sí** ☐       **no** ☐

12. Dar consejos.

    **sí** ☐       **no** ☐

13. Hablar de horarios.

    **sí** ☐       **no** ☐

14. Escribir tu biografía.

    **sí** ☐       **no** ☐

15. Hablar y opinar sobre espectáculos, libros, personas...

    **sí** ☐       **no** ☐

16. Valorar las relaciones con otras personas.

    **sí** ☐       **no** ☐

Si has respondido **no** a alguna de estas cosas, tal vez debes revisar alguna unidad de *Aula 2*.

**4.** Este espacio está pensado para que puedas llevarte las direcciones de tus compañeros a tu país y puedas seguir en contacto con ellos.

| ✉ | ☎ | @ |
|---|---|---|
| | | |
| | | |
| | | |
| | | |
| | | |
| | | |
| | | |
| | | |
| | | |
| | | |
| | | |
| | | |
| | | |
| | | |
| | | |
| | | |
| | | |

# AGENDA DEL ESTUDIANTE

## MAPA DE ESPAÑA

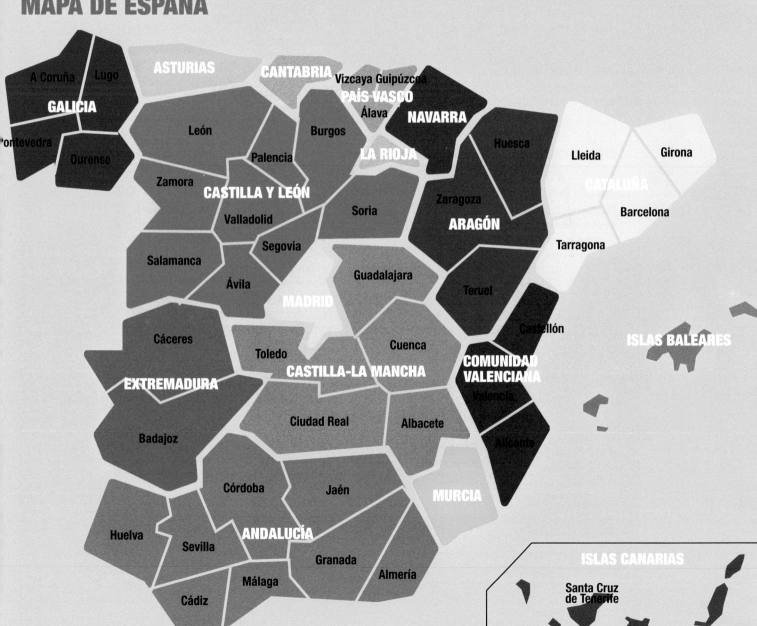

A Coruña
Lugo
**GALICIA**
Pontevedra
Ourense

**ASTURIAS**
**CANTABRIA**
Vizcaya Guipúzcoa
**PAÍS VASCO**
Álava
**NAVARRA**
Huesca

León
Burgos
**LA RIOJA**
Lleida
Girona
**CATALUÑA**
Palencia
Zamora
Zaragoza
Barcelona
**CASTILLA Y LEÓN**
Soria
**ARAGÓN**
Valladolid
Segovia
Tarragona
Salamanca
Guadalajara
Teruel
Ávila
**MADRID**
Castellón
**ISLAS BALEARES**

Cáceres
Toledo
Cuenca
**COMUNIDAD**
**VALENCIANA**
**CASTILLA-LA MANCHA**
**EXTREMADURA**
Valencia
Ciudad Real
Albacete
Alicante
Badajoz

Córdoba
Jaén
**MURCIA**
Huelva
**ANDALUCÍA**
Sevilla
Granada
Almería
Málaga
Cádiz

**ISLAS CANARIAS**
Santa Cruz
de Tenerife
Las Palmas
de Gran Canaria

Ceuta
Melilla

##  Andalucía

**Población:** 7 278 687 habitantes

**Provincias:** Almería, Cádiz, Córdoba, Granada, Huelva, Jaén, Málaga y Sevilla

**Capital:** Sevilla

**Platos típicos:** gazpacho (sopa fría a base de tomate, agua, aceite, vinagre y sal), pescadito frito (pescado muy pequeño rebozado y frito en aceite)

**Fiestas y eventos culturales:** Feria de Abril (en Sevilla), Romería de la Virgen del Rocío (en la provincia de Huelva, el día de la Pascua de Pentecostés), Bienal de Flamenco de Sevilla (en septiembre), Espárrago Rock (en Jerez de la Frontera, a mediados de julio)

**Lugares de interés:** Parque Nacional de Doñana, Parque Nacional de Cabo de Gata, Jerez de la Frontera, Écija, Costa de la Luz, Medina Azahara, Úbeda

**Monumentos y museos:** catedral y torre de la Giralda (Sevilla), Torre del Oro (Sevilla), Reales Alcázares (Sevilla), Alhambra y jardines del Generalife (Granada), Mezquita de Córdoba, capilla del Salvador (Úbeda), catedral de Baeza

**Más información:** www.andalucia.org

## Aragón

**Población:** 1 199 753 habitantes

**Provincias:** Huesca, Zaragoza y Teruel

**Capital:** Zaragoza

**Platos típicos:** pollo a la chilindrón (guiso de pollo y jamón), bacalao al ajoarriero (guiso de bacalao, con patatas y tomate)

**Fiestas y eventos culturales:** las Fiestas del Pilar (el 12 de octubre en Zaragoza), la Tamborada de Calanda (Viernes Santo), Feria de Teatro de Aragón (en Huesca, a finales de mayo), Pirineos Sur (Festival Internacional de las Culturas, en julio)

**Lugares de interés:** Jaca, Calanda, Agüero, comarca de los Monegros, serranía de Albarracín, Parque Nacional de Ordesa

**Monumentos y museos:** monasterio de San Juan de la Peña (Huesca), basílica de Nuestra Señora del Pilar (Zaragoza), catedral de Teruel, Casa-Museo de Goya (Fuendetodos), museo Pablo Gargallo (Zaragoza)

**Más información:** www.turismoaragon.com

##  Baleares

**Población:** 878 627 habitantes

**Provincia:** Baleares (formadas por las islas de Mallorca, Menorca, Eivissa (Ibiza), Formentera y Cabrera)

**Capital:** Palma de Mallorca

**Gastronomía:** "tumbet" (diferentes capas de patatas, berenjenas con tomate y pimiento), ensaimada (bollo dulce en forma de espiral)

**Fiestas y eventos culturales:** fiestas de Sant Joan (24 de junio, en Menorca), la Virgen del Carmen (30 de junio en Formentera)

**Lugares de interés:** Palma de Mallorca, Mahón, Ciudadela, Ibiza, Cuevas del Drac

**Monumentos y museos:** catedral de Palma, Castillo de Bellver (Palma), palau de l'Almudaina (Palma), Monasteri de Lluc, Cales Coves (Menorca), palau Salort de Ciutadella, museo Arqueológico de Sóller, Fundació Pilar i Joan Miró (Palma)

**Más información:** www.caib.es

## Canarias

**Población:** 1 781 366 habitantes

**Provincias:** Santa Cruz de Tenerife (islas de Tenerife, La Palma, Gomera y El Hierro) y Las Palmas (islas de Gran Canaria, Lanzarote y Fuerteventura)

**Capitales:** Santa Cruz de Tenerife y Las Palmas de Gran Canaria

**Principales ciudades:** Las Palmas de Gran Canaria, Santa Cruz de Tenerife, La Laguna, Teide, La Orotava y Arrecife

**Platos típicos:** papas arrugadas (patatas hervidas con piel y acompañadas de "mojo"), gofio (harina tostada de trigo, maíz o cebada que acompaña diversos platos), sancocho canario (estofado de pescado y patatas)

**Fiestas y eventos culturales:** Carnavales de Tenerife, Bajada de la Virgen de las Nieves (en julio, en El Hierro), Festival de Cine de Las Palmas de Gran Canaria (primeros de abril)

**Lugares de interés:** Parque Nacional de Garanjonay (La Gomera), Parque Nacional del Teide (Tenerife), La Laguna, La Orotava, Arrecife, Lanzarote

**Monumentos y museos:** escultura Lady Harimaguada (Las Palmas de Gran Canaria), Casa de Colón (Las Palmas de Gran Canaria), museo Arqueológico de Santa Cruz de Tenerife

**Más información:** www.canarias-saturno.com

## Cantabria

**Población:** 537 606 habitantes

**Provincias:** Cantabria

**Capital:** Santander

**Platos típicos:** cocido montañés (estofado de alubias blancas y diferentes tipos de carnes), merluza en salsa verde (guiso de merluza con almejas y espárragos), quesada pasiega (tarta de queso fresco), sobaos (pequeños dulces de forma rectangular)

**Fiestas y eventos culturales:** la Folía (en San Vicente de la Barquera, a finales de abril), Batalla de Flores (en Laredo el último viernes de agosto), Festival Internacional de Santander (música, teatro y danza, en agosto)

**Lugares de interés:** playa de El Sardinero, Torre-lavega, Picos de Europa, Santillana del Mar, Valle de Liébana, Laredo, Potes, Castro Urdiales, Parque de Cabárceno

**Monumentos y museos:** cuevas de Altamira, palacio de la Magdalena (Santander), El Capricho (edificio modernista en Comillas)

**Más información:** http://turismo.cantabria.org

## Castilla-La Mancha

**Población:** 1 755 053 habitantes

**Provincias:** Albacete, Ciudad Real, Cuenca, Guadalajara y Toledo

**Capital:** Toledo

**Platos típicos:** pisto manchego (guiso de verduras: pimientos verdes, tomates, calabacín y cebolla), perdiz estofada (cocinada en vinagre, cebolla y hierbas aromáticas)

**Fiestas y eventos culturales:** *Corpus Christi* de Toledo y de Camuñas, Festival Internacional de Teatro Clásico de Almagro (julio y agosto)

**Lugares de interés:** Almagro, Talavera de la Reina, Illescas, sierra de Alcaraz, Parque Nacional de Tablas de Daimiel, ruta de El Quijote

**Monumentos y museos:** castillo de Belmonte, molinos de Consuegra, Casas Colgantes de Cuenca, catedral de Toledo, museo de Santa Cruz (Toledo), museo de Arte Abstracto de Cuenca

**Más información:** www.castillalamancha.es

## Castilla y León

**Población:** 2 479 425 habitantes

**Provincias:** Ávila, Burgos, León, Palencia, Salamanca, Segovia, Soria, Valladolid y Zamora

**Capital:** Valladolid

**Platos típicos:** cochinillo asado (cerdo joven asado entero), olla podrida (estofado de alubias rojas y diferentes tipos de carne), patatas a la importancia (patatas rebozadas con harina y huevo y fritas con cebolla)

**Fiestas y eventos culturales:** procesiones de Semana Santa, Seminci (Semana Internacional de Cine de Valladolid, en octubre)

**Lugares de interés:** las Médulas (antiguas minas de oro romanas), Lago de Sanabria, cuevas de Valporquero, Sierra de Gredos, Tordesillas, Medina del Campo, Astorga, Ponferrada

**Monumentos y museos:** Acueducto de Segovia, Alcázar de Segovia, catedral de Burgos, catedral de León, catedral vieja y catedral nueva de Salamanca, Muralla de Ávila, castillo de Coca, museo de Art Nouveau y Art Déco de Salamanca, museo Nacional de Escultura de Valladolid

**Más información:** www.jcyl.es

## Cataluña

**Población:** 6 361 365 habitantes

**Provincias:** Barcelona, Tarragona, Lleida y Girona

**Capital:** Barcelona

**Platos típicos:** "pa amb tomàquet" (pan con tomate, aceite y sal), "esqueixada" (ensalada de bacalao, pimiento, tomate y cebolla), arroz negro (con sepia y calamar), butifarra con judías, crema catalana

**Fiestas y eventos culturales:** las Fiestas de la Mercè (24 de septiembre, en Barcelona), la Patum (entre mayo y junio, en Berga), Grec (Festival de Verano de Barcelona: teatro, música, danza y cine), SONAR (Festival de música electrónica y arte multimedia, a mediados de junio)

**Lugares de interés:** Valle de Arán, Valle de Boí, Parque Nacional de Aigüestortes, el macizo montañoso de Montserrat, Delta del Ebro, Costa Brava, Sitges, Vic, Montblanc

**Monumentos y museos:** Sagrada Familia (Barcelona), casas de Gaudí (Barcelona), Palacio de la Música Catalana (Barcelona), catedral gótica de Barcelona, monasterio de Montserrat, anfiteatro romano de Tarragona, catedral de Girona, Teatre-Museo Dalí (Figueres), museo Nacional Arqueológico de Tarragona, museo Picasso (Barcelona), Fundación Joan Miró (Barcelona)

**Más información:** www.catalunyaturisme.com

## Ciudad autónoma de Ceuta

**Población:** 75 694 habitantes

**Platos típicos:** pastel de bonito, caballa a la Mar Chica (guiso de pescado)

**Fiestas y eventos culturales:** Romería de San Antonio de Padua (13 de junio)

**Monumentos y museos:** ermita del Valle, Santa Iglesia Catedral, Muralla Real, santuario de Nuestra Señora de África

**Más información:** www.ciceuta.es

## Ciudad autónoma de Melilla

**Población:** 68 789 habitantes

**Platos típicos:** caldero de pescado (guiso con diferentes clases de pescado), cus-cus (sémola de trigo hervida), pinchos morunos (dados de carne de cordero muy condimentados y servidos pinchados en un palo de madera)

**Fiestas y eventos culturales:** Cruces de Mayo (el 1 de mayo)

**Monumentos y museos:** iglesia de la Purísima Concepción, plaza de Toros, Foso de los Carneros, Fuerte de San José Bajo

**Más información:** www.camelilla.es

##   Comunidad Valenciana

**Población:** 4 202 680 habitantes
**Provincias:** Alicante, Castellón y Valencia
**Capital:** Valencia
**Platos típicos:** paella (arroz con diferentes tipos de carne o pescado), "fideuà" (fideo y marisco acompañado de una salsa de ajo)
**Fiestas y eventos culturales:** las Fallas (el 19 de marzo, en Valencia), la Tomatina de Buñol (último miércoles de agosto), Festival Internacional de Benicasim (música independiente, en agosto)
**Lugares de interés:** cabo Oropesa, islas Columbretes, La Albufera, Elx, Alcoy, Torrent, Peñíscola, Sagunto
**Monumentos y museos:** castillo del Papa Luna (Peñíscola), castillo de Sagunto, Ayuntamiento de Alicante, catedral de Valencia, basílica de la Virgen de los Desamparados, Instituto Valenciano de Arte Moderno (IVAM), museo Fallero de Valencia, Ciudad de las Artes y de las Ciencias de Valencia
**Más información:** www.turisvalencia.es

##  Extremadura

**Población:** 1 073 381 habitantes
**Provincias:** Badajoz y Cáceres
**Capital:** Mérida
**Platos típicos:** frite (cordero frito con ajos y cebollas), migas (guiso hecho a base de miga de pan), pollo al padre Pero (cocinado en salsa de tomate y pimienta)
**Fiestas y eventos culturales:** los *Empalaos* (el Jueves Santo en Valverde de la Vera, Cáceres), Festival de Teatro Clásico de Mérida (julio y agosto), Festival WOMAD de Cáceres (principios de mayo)
**Lugares de interés:** Plasencia, Trujillo, Guadalupe, Yuste, Parque Nacional de Monfragüe
**Monumentos y museos:** monasterios de Yuste, Tentudia y Guadalupe, ruinas romanas de Mérida, Concatedral de Santa María (Cáceres), Museo Nacional de Arte Romano (Mérida), museo provincial de Cáceres
**Más información:** www.turismoextremadura.com

##  Galicia

**Población:** 2 732 926 habitantes
**Provincias:** A Coruña, Lugo, Ourense y Pontevedra
**Capital:** Santiago de Compostela
**Platos típicos:** pulpo "á feira" (pulpo cocido y condimentado con pimentón), caldo gallego (cocido de patatas, alubias, grelos y huesos de ternera y cerdo), tarta de Santiago (tarta de almendras), filloas (similares a los crêpes franceses)
**Fiestas y eventos culturales:** "Rapa das bestas" (el primer domingo de julio en Candaoso, Lugo), Carnavales de Xinzo de Limia y de Laza, Romería Viquinga de Catoira (primer domingo de agosto), Festival Mozart de A Coruña (mayo, junio y julio)
**Lugares de interés:** Cabo de Finisterre, Islas Cíes, Dunas de Corrubedo, Cañón del Sil, Ancares
**Monumentos y museos:** catedral de Santiago, Torre de Hércules (A Coruña), monasterio de Oseira, Museo Diocesano de Mondoñedo
**Más información:** www.turgalicia.es

##  Rioja

**Población:** 270 400 habitantes
**Provincia:** Logroño
**Capital:** Logroño
**Platos típicos:** patatas a la riojana (con pimiento, cebolla, costilla de cerdo y chorizo), mazapanes de Soto (dulces rellenos de almendras y azúcar hechos al horno)
**Fiestas y eventos culturales:** Danza de los zancos (a finales de junio y de septiembre en Anguiano); Fiesta de la Vendimia (el 21 de septiembre en Logroño)
**Lugares de interés:** Calahorra, Arnedo, Santo Domingo de la Calzada, Haro, San Millán de la Cogolla, Ruta de los dinosaurios
**Monumentos y museos:** monasterio de Santa María la Real (Nájera), monasterio de San Millán de Yuso (San Millán de la Cogolla), catedral de Logroño
**Más información:** www.larioja.com

## Madrid

**Población:** 5 372 433 habitantes
**Provincia:** Madrid
**Capital:** Madrid
**Platos típicos:** sopa de ajo (a base de pan y pimentón, se le suele añadir un huevo escalfado y jamón), cocido madrileño (garbanzos, carne guisada, gallina, tocino, morcilla y repollo), callos a la madrileña (guiso de estómago de cerdo, chorizo y hortalizas)
**Fiestas y eventos culturales:** las Fiestas de San Isidro (el 15 de mayo), ARCO (Feria Internacional de Arte Contemporáneo, a mediados de febrero), FESTIMAD (Festival de Música Independiente de Madrid, a finales de mayo)
**Lugares de interés:** Alcalá de Henares, Aranjuez, El Escorial, Chinchón
**Monumentos y museos:** parque del Retiro, fuente de Cibeles, Puerta de Alcalá, estación de Atocha, plaza de toros de Las Ventas, Palacio Real, monasterio de El Escorial, palacio Real de Aranjuez, castillo de Manzanares el Real, museo del Prado, museo Thyssen-Bornemisza, Centro de Arte Reina Sofía, museo Sorolla
**Más información:** www.madrid.org/turismo

## Murcia

**Población:** 1 190 378 habitantes
**Provincia:** Murcia
**Capital:** Murcia
**Platos típicos:** caldero (arroz cocido en caldo de pescado), mújol (pescado), ñoras (especie de pimiento), pastel de carne (plato de origen oriental, lleva carne picada y rodajas de huevo duro en una capa de hojaldre)
**Fiestas y eventos culturales:** desfiles de "cartagineses y romanos" (10 días de septiembre en Cartagena), Viernes Santo (en Lorca, las cofradías "azul" y "blanca" compiten en decoración y vestuario durante las procesiones), Festival Internacional del Cante de las Minas (certamen de cante flamenco, en agosto en La Unión)
**Lugares de interés:** Cartagena, Lorca, Caravaca de la Cruz, el Mar Menor, Sierra Espuña, Salinas de San Pedro del Pinatar
**Monumentos y museos:** catedral y casino de Murcia, muralla Bizantina de Cartagena, museo de Tradiciones y Artes Populares de Alcantarilla, colegiata de San Patricio (Lorca)
**Más información:** www.murcia-turismo.com

## Navarra

**Población:** 556 263 habitantes
**Provincia:** Pamplona
**Capital:** Pamplona (Iruña)
**Platos típicos:** truchas a la navarra (rellenas de jamón serrano y después fritas), chilindrón de cordero (con pimientos frescos o secos), cuajada (leche de oveja y cuajo natural, se toma normalmente con miel)
**Fiestas y eventos culturales:** los Sanfermines (en Pamplona, empiezan el 6 de julio y acaban el 14 de julio), el Zanpantzar de Ituren y Zubieta (Viernes Santo), Festival de Creación Audiovisual de Navarra (a mediados de noviembre), Festival de Danza Escena (en mayo en diferentes localidades de Navarra)
**Lugares de interés:** Tudela, Tafalla, Burlada, Olite, Estella, Roncesvalles, valle del Baztán, las Bardenas Reales (blanca y negra), valle del Bidasoa, cuevas de Zugarramurdi, bosque de Irati
**Monumentos y museos:** Palacio Real de Olite, catedral de Pamplona, monasterio de Nuestra Señora de Irache (Estella), monasterio de Iranzu, monasterios de Leyre (Yesa), iglesia de Santa María la Real (Sangüesa),catedral de Tudela, museo de Navarra (Pamplona)
**Más información:** http://turismo.navarra.com

 ## País Vasco

**Población:** 2 101 478 habitantes
**Provincias:** Álava, Guipúzcoa y Vizcaya
**Capital:** Vitoria (Gasteiz)
**Platos típicos:** "pintxos" (pequeñas raciones de comida servidas sobre un trozo de pan), bacalao al "pil-pil" (bacalao cocinado en aceite y ajo), "marmitako" (guiso de bonito y patatas), "txangurro al horno" (centollo cocido cuya carne se condimenta, se vuelve a meter en la concha y se hornea)
**Fiestas y eventos culturales:** la Tamborrada, (se celebra el 19 y 20 de enero en San Sebastián); fiestas de la Virgen Blanca (en Vitoria durante la primera semana de agosto), Festival Internacional de Cine de San Sebastián (septiembre), Festival de Jazz de San Sebastián (julio)
**Lugares de interés:** Bilbao, San Sebastián, Vitoria, Bermeo, Guernica, Oñati, Pasajes de San Juan y Pasajes de San Pedro, Zumaia, Fuenterrabía, Cabo de Ogoño, cuevas de Santimamiñe
**Monumentos y museos:** Peine de los vientos (San Sebastián), Casa de Juntas de Guernica, museo de San Telmo (San Sebastián), museo Guggenheim de Bilbao, museo de Bellas Artes de Bilbao, museo de Ignacio Zuloaga (Zumaia)
**Más información:** www.euskadi.net

## Principado de Asturias

**Población:** 1 075 329 habitantes
**Provincia:** Asturias
**Capital:** Oviedo
**Platos típicos:** fabada asturiana (estofado de alubias, chorizo y morcilla), pote asturiano (cocido de gallina, ternera y cerdo con patatas y grelos), arroz con leche (postre hecho a base de arroz, leche, azúcar y canela)
**Fiestas y eventos culturales:** fiesta de "les Piragües", (el primer sábado de agosto en el río Sella, entre las localidades de Ribadesella y Arriondas), fiesta del Pastor (a orillas del lago Enol cerca de Cangas de Onís, el 25 de julio), Premios Príncipe de Asturias (se entregan en Oviedo, en noviembre)
**Lugares de interés:** Gijón, Avilés, Picos de Europa, Cangas de Onís, Covadonga, Luarca, Castropol, Taramundi
**Monumentos y museos:** castros del Valle de Navia (restos de poblados fortificados con casas de planta circular), iglesia de Santa María del Naranco (en el monte Naranco), museo de Bellas Artes de Oviedo
**Más información:** www.infoasturias.com

## Tabla de distancias cruzadas entre ciudades

| | A Coruña | Alicante | Barcelona | Bilbao | Granada | Madrid | Málaga | Pamplona | Salamanca | San Sebastián | Santander | Sevilla | Valencia | Valladolid |
|---|---|---|---|---|---|---|---|---|---|---|---|---|---|---|
| **A Coruña** | **A Coruña** | | | | | | | | | | | | | |
| **Alicante** | 1031 | **Alicante** | | | | | | | | | | | | |
| **Barcelona** | 1118 | 515 | **Barcelona** | | | | | | | | | | | |
| **Bilbao** | 644 | 817 | 620 | **Bilbao** | | | | | | | | | | |
| **Granada** | 1043 | 353 | 868 | 829 | **Granada** | | | | | | | | | |
| **Madrid** | 609 | 422 | 621 | 395 | 434 | **Madrid** | | | | | | | | |
| **Málaga** | 1153 | 482 | 997 | 939 | 129 | 544 | **Málaga** | | | | | | | |
| **Pamplona** | 738 | 673 | 437 | 159 | 841 | 407 | 951 | **Pamplona** | | | | | | |
| **Salamanca** | 473 | 634 | 778 | 395 | 631 | 212 | 756 | 440 | **Salamanca** | | | | | |
| **San Sebastián** | 763 | 766 | 529 | 119 | 903 | 469 | 1013 | 92 | 469 | **San Sebastián** | | | | |
| **Santander** | 547 | 815 | 693 | 108 | 827 | 393 | 937 | 267 | 363 | 227 | **Santander** | | | |
| **Sevilla** | 947 | 609 | 1046 | 993 | 256 | 538 | 219 | 945 | 474 | 1007 | 837 | **Sevilla** | | |
| **Valencia** | 961 | 166 | 349 | 633 | 519 | 352 | 648 | 501 | 564 | 540 | 673 | 697 | **Valencia** | |
| **Valladolid** | 455 | 615 | 663 | 280 | 627 | 193 | 737 | 325 | 115 | 354 | 248 | 589 | 545 | **Valladolid** |
| **Zaragoza** | 833 | 498 | 296 | 324 | 759 | 325 | 869 | 175 | 482 | 268 | 397 | 863 | 326 | 367 |

## Clima

En general el clima en España es suave aunque, debido a la geografía del país, puede variar notablemente.

El **norte** de España es húmedo y con temperaturas suaves en verano y frías en invierno.

En el **interior** de la península, el clima es más extremo: caluroso en verano y frío en invierno.

En la zona del **Mediterráneo** los veranos son húmedos y con temperaturas altas, mientras que en invierno las temperaturas son más frescas.

En el **sur**, el clima es seco y con temperaturas altas en verano y moderadas en invierno.

En las **Islas Canarias**, el clima es muy agradable durante todo el año.

## Diferencia horaria

La hora en la península e Islas Baleares es, en los meses de verano, de dos horas más con respecto al Meridiano de Greenwich (GMT) y solo una hora más en invierno. En las Islas Canarias es igual al GMT, excepto en los meses de verano, cuando es de una hora más.

## Población e idiomas

España cuenta con una población de, aproximadamente, **40 000 000 habitantes**. El idioma oficial en toda España es el castellano. Son oficiales también, en sus respectivas comunidades autónomas: el **catalán** (Cataluña e Islas Baleares), el **gallego** (Galicia) y el **vasco** o euskera (País Vasco).

## Horarios comerciales

Los **comercios** suelen abrir de lunes a viernes entre las 9.30 ó 10.00 hasta las 13.30 ó 14.00 y de 16.30 ó 17.00 hasta las 20.00 ó 20.30. Generalmente cierran los sábados por la tarde y los domingos. En las zonas de gran afluencia turística no suelen cerrar hasta las 22.00 ó 23.00 y tampoco cierran a mediodía.

Los **restaurantes** sirven normalmente comidas desde las 13.30 hasta las 15.30 y cenas desde las 20.30 a las 23.30, aunque en los meses de verano suelen ser más flexibles en sus horarios.

Los **bares y cafeterías** abren todo el día. Los **bares de copas** están abiertos hasta las 3.00 de la madrugada. Las **discotecas** suelen estar abiertas desde medianoche hasta las 5.00 ó 6.00 de la mañana.

## Tasas e impuestos

El **IVA** (Impuesto sobre el Valor Añadido) grava la mayoría de artículos y servicios. Es normalmente de un 16% sobre el valor del producto. En el precio de las etiquetas en las tiendas ya está incluido el IVA.

## Correos

Las **oficinas de Correos** están abiertas de lunes a sábado de 8.00 a 15.00. Los domingos están cerradas. Las oficinas principales de las grandes ciudades y las de los aeropuertos internacionales están abiertas 24 horas. Los sellos pueden adquirirse en las oficinas de Correos y en los estancos. Correos, además del servicio de telegramas, telex y giros telegráficos, ofrece el servicio postal bancario a través del giro postal.

Si su estancia es prolongada puede utilizar el servicio **Lista de Correos**, donde es posible inscribirse para recibir la correspondencia.

## Policía

En la mayoría de las comunidades, el número de emergencia para la **Policía Nacional** es el 091, y para la policía municipal, el 092.

## Salud

En caso de **urgencias médicas** puede llamar al 061. Sin embargo, este número puede cambiar de una comunidad a otra. Es recomendable viajar con un seguro médico a pesar de que existan acuerdos para asistencia sanitaria gratuita con la mayoría de los países miembros de la Unión Europea.

Existen numerosas **farmacias** por toda España, abiertas de 9.30 a 14.00 y de 16.30 a 20.00. Fuera de ese horario funcionan las farmacias de guardia, que están abiertas las 24 horas del día. Todas las farmacias exhiben la lista de las farmacias que están de guardia e indican la más cercana. La lista se publica también en los periódicos.

## Teléfono

Todos los teléfonos españoles tienen nueve cifras. Los números de telefonía fija comienzan por 9 y los de telefonía móvil por 6. El teléfono de información telefónica nacional es el **11818** y el de información telefónica internacional es el **11825**.

## Medios de comunicación

### Cadenas de televisión nacionales

- **TVE1**: Cadena estatal. Su programación es muy familiar y predominan los informativos, deportes, concursos, series y películas. Es la de mayor audiencia. www.rtve.es

- **La 2**: Cadena estatal. Ofrece contenidos más culturales que "la primera". Predominan los documentales, los informativos y las películas no comerciales. www.rtve.es

- **Tele 5**: Cadena privada. Es la segunda de mayor audiencia gracias, principalmente, a sus programas de entretenimiento y a las películas comerciales. www.telecinco.es

- **Antena 3**: Cadena privada. Dirigida a un público familiar. www.antena3tv.com

- **Cuatro**: Cadena privada que apuesta por la información, la innovación y el entretenimiento de calidad. www.cuatro.com

- **La Sexta**: Cadena privada con una programación basada en el deporte, la actualidad y el entretenimiento. www.lasexta.com

### Cadenas de televisión autonómicas

- **Canal 9** y **Punt 2** (Valencia): www.rtvv.es
- **Canal Sur** y **Canal 2** (Andalucía): www.canalsur.es
- **ETB** y **ETB2** (País Vasco): www.eitb.com
- **Telemadrid** y **La Otra** (Madrid): www.telemadrid.com
- **TV3** y **Canal 33** (Cataluña): www.tvcatalunya.com
- **TVG** (Galicia): www.crtvg.es

### Principales periódicos nacionales

- **El País**: Es el periódico de mayor tirada en España. Es de ideología progresista y en él destacan los suplementos del viernes ("EP3") y del domingo ("El País Semanal"). Versión digital: www.elpais.es

- **El Mundo**: Destaca su suplemento de los jueves ("El cultural"). Versión digital: www.elmundo.es

- **ABC**: Es uno de los periódicos más antiguos del país. Su ideología es conservadora. Versión digital: www.abc.es

- **La Vanguardia**: Es el periódico editado en Cataluña de mayor difusión nacional. Versión digital (es necesario suscribirse): www.lavanguardia.es

### Principales radios nacionales

- **Radio Nacional de España** (estatal): www.rtv.es/rne
- **Cadena SER** (privada): www.cadenaser.es
- **Onda Cero** (privada): www.ondacero.es
- **COPE** (privada): www.cope.es
- **Los 40** (musical): www.los40.com
- **M80** (musical): www.m80radio.com

### Medios de transporte

- **Tren**: www.renfe.es
- **Avión**: www.iberia.es; www.spanair.es; www.aireuropa.es; www.bintercanarias.es; www.iberworld.com; www.binter.com; www.ryanair.com
- **Autobús**: www.alsa.es
- **Barco**: www.transmediterranea.es

### El español en Internet

- **Real Academia Española**: www.rae.es
- **Centro Virtual Cervantes**: cvc.cervantes.es
- **Diplomas de Español como Lengua Extranjera (DELE)**: cvc.cervantes.es/aula/dele
- **Organización de Estados Iberoamericanos para la Educación, la Ciencia y la Cultura**: www.oei.es
- **La Página del Idioma Español**: www.el-castellano.com
- **Mundo Latino**: www.mundolatino.org
- **Diccionarios**: www.diccionarios.com
- **Gramática on line**: www.indiana.edu/~call/lengua.html
- **Chats**: www.espanglishchat.com; www.language-exchange.co.uk